KB082327

강력한 경기대 인문계 논술

기출문제

저자 소개

저자 김근현은 현재 탁트인 교육, 일으킨 바람, 에듀코어 대표이다.
前 메가스터디 온라인에서 대입 논술과 면접, 자기소개서, 학생부종합 등 다양한 동영상 강의를 하였다.
현재는 학습 프로그램 개발 및 연구 활동을 통해 교육의 발전을 고민하고 있다.
홍익대학교에서 전자전기공학부를 졸업하고 동대학원에서 전자공학 석사(반도체 레이저)를 전공하였다. 또한 연세대학교 교육경영최고위자 과정을 마쳤으며 연세대학교 교육대학원에서 평생교육 경영을 공부하고 있다.

강력한 경기대 인문계 논술 기출 문제

발　행 | 2024년 07월26일
저　자 | 김근현
펴낸이 | 김근현
펴낸곳 | 일으킨 바람
출판사등록 | 2018.11.12.(제2018-000186호)
주　소 | 경기도 고양시 일산서구 하이파크 3로 61 409동 1503호
전　화 | 031-713-7925
이메일 | ileukinbaram@gmail.com

ISBN | 979-11-93208-99-1

www.iluekinbaram.com

강력한 경기대 인문계 논술 기출문제

김근현 지음

차례

머리말

책을 쓰기 위해 책상에 앉으면 아쉬움과 안타까움, 나의 게으름에 늘 한숨을 먼저 쉰다.
왜 지금 쓸까?
왜 지금에서야 이 내용을 쓸까?
왜 지금까지 뭐했니?
스스로 자책을 한다.

또 애절함도 함께 느낀다.
시험이 코앞에서야 급한 마음에 달려오는
수험생들에게 왜 미리 제대로 준비된 걸 챙겨주지 못했을까?
그렇게 하루, 한 달, 일 년 그렇게 몇 해가 지나 이제야 조금 마음의 짐을 내려놓는다.

입에 단내 가득하도록 학생들에게 강의를 했고,
코앞에 다가온 연속된 수험생의 긴장감을 함께하다보면
그렇게 바쁘게 초조하게 지냈던 것 같다.

그렇게 함께했던 시간을 알기에
부족하겠지만
부디 이 책으로 수험생들이 부족한 일부를 채울 수 있고,
한 걸음이라도 희망하는 꿈을 향해 다갈 수 있길 간절히 바래 본다.

김 근 현

I. 경기대학교 논술 전형 분석

1. 논술 전형 분석

1) 전형 요소별 반영 비율

전형요소	논술	학생부교과	총합
논술고사	90% (90점)	10 (10점)	100% (100점)

● **2025학년도부터 기존 논술 60% + 학생부(교과) 40%에서 변경**

2) 학생부 교과 반영

10%

(ㄱ) 반영교과 및 반영비율

- 계열 구분 없이 국어, 수학, 영어, 사회, 과학 교과(편제) 반영

석차등급 점수화 반영 비율 : 일반과목 90% + 진로선택 10%

학년별 교과별 가중치 및 반영비율 없음

대 상	인정범위	반영 교과
졸업예정자	1학년 1학기 ~ 3학년 1학기 졸업자 (전체 학기)	국어, 수학, 영어, 통합사회, 통합과학, 한국사, 사회, 과학

(ㄴ) 공통과목 및 일반선택과목

구분 등급	1등급	2등급	3등급	4등급	5등급	6등급	7등급	8등급	9등급
변환점수	10	9.8	9.5	9.1	8.6	8.0	6.0	2.0	0

(ㄷ) 진로선택과목

- 반영교과에 해당하는 전 과목의 성취도를 등급으로 변환하여 반영

성취도	A	B	C
석차등급	1	2	4

(ㄹ) 변환 점수 평균

$$\text{변환 석차등급 평균} = \frac{\sum(\text{과목별 석차등급} \times \text{이수단위})}{\sum(\text{과목별 이수단위})}$$

3) 수능 최저학력 기준

없음

4) 논술 전형 결과

(ㄱ) 논술 성적 결과

캠퍼스	계열	모집단위 (학과,학부)		2022	2021	2020
수원	인문	국어국문학과		84.03	78.00	82.79
		영어영문학과		85.94	85.12	84.82
		사학과		85.50	82.18	78.81
		문헌정보학과		84.38	77.50	87.75
		글로벌 어문 학부	독어독문전공 프랑스어문전공 일어일문전공 중어중문전공 러시아어문전공	82.60	81.33	83.61
	인문	법학과		-	-	-
		무역학과		-	-	--
		공공 안전 학부	범죄교정 심리학전공 경찰행정학전공	79.25	82.4	84.62
		휴먼서비스 학부	사회복지학전공 청소년학전공	-	-	-
		공공 인재 학부	행정학전공 정치외교학전공	81.83	84.58	82.56
		경제 학부	경제학전공 응용통계학전공 지식재산학전공	80.19	73.33	83.54
		경영 학부	경영학전공 회계세무학전공	81.41	83.47	84.03
서울	예체능	미디어영상학과		88.92	85.33	86.46
	인문	관광개발경영학과 관광문화콘텐츠학과		84.62	83.72	85.65
		호텔외식 경영학부	호텔경영전공 외식조리전공			
평균				83.52	81.54	84.06

(ㄴ) 2024학년도 논술 전형 결과

캠퍼스	계열	모집단위 (학과,학부)		모집 인원	지원 인원	경쟁률	최종 등록자	예비 합격번호	등록률	충원률
수원	인문	국어국문학과		11	196	17.82	11	6	1	55%
		영어영문학과		8	142	17.75	8	1	1	13%
		사학과		4	80	20.00	4	3	1	75%
		문헌정보학과		4	75	18.75	4	0	1	0%
		글로벌 어문 학부	독어독문전공 프랑스어문전공 일어일문전공 중어중문전공 러시아어문전공	12	236	19.67	12	3	1	25%
	인문	법학과		6	123	20.50	6	1	1	17%
		무역학과		10	203	20.30	10	0	1	0%
		공공 안전 학부	범죄교정 심리학전공 경찰행정학전공	9	236	26.22	9	1	1	11%
		휴먼서비스 학부	사회복지학전공 청소년학전공	7	124	17.71	7	3	1	43%
		공공 인재 학부	행정학전공 정치외교학전공	12	232	19.33	11	2	1	17%
		경제 학부	경제학전공 응용통계학전공 지식재산학전공	20	390	19.50	19	2	1	10%
		경영 학부	경영학전공 회계세무학전공	27	597	22.11	27	3	1	11%
서울	예체능	미디어영상학과		6	181	30.17	6	8	1	133%
	인문	관광개발경영학과		13	301	23.15	13	1	1	8%
		관광문화콘텐츠학과		6	138	23.00	6	3	1	50%
		호텔외식 경영학부	호텔경영전공 외식조리전공	12	229	19.08	12	2	1	17%
합계				167	3,483	20.86	165	-	1	-

캠퍼스	계열	모집단위 (학과,학부)		최초합격자				최종등록자					
				최고	평균	최저	표준편차	최고	평균	50% cut	70% cut	100% cut	표준편차
수원	인문	국어국문학과		4.157	4.754	5.443	0.365	3.333	4.736	4.785	4.971	5.690	0.646
		영어영문학과		3.263	4.493	5.392	0.723	3.263	4.323	4.050	4.076	5.392	0.657
		사학과		3.166	3.624	4.107	0.375	3.366	3.984	3.693	3.693	4.772	0.525
		문헌정보학과		3.975	4.815	5.484	0.540	3.975	4.815	4.869	4.869	5.484	0.540
		글로벌 어문 학부	독어독문전공 프랑스어문전공 일어일문전공 중어중문전공 러시아어문전공	3.925	4.615	5.688	0.506	3.838	4.508	4.412	4.628	5.298	0.429
	인문	법학과		4.347	4.815	5.333	0.367	4.347	4.931	4.752	5.226	5.500	0.446
		무역학과		3.500	4.849	5.520	0.567	3.500	4.849	5.028	5.116	5.520	0.567
		공공 안전 학부	범죄교정 심리학전공 경찰행정학전공	3.166	4.110	4.767	0.485	3.166	4.091	3.822	4.339	4.767	0.498
		휴먼서비스 학부	사회복지학전공 청소년학전공	4.219	4.798	5.902	0.514	4.333	4.877	4.737	4.780	5.902	0.457
		공공 인재 학부	행정학전공 정치외교학전공	3.979	4.704	5.555	0.476	3.457	4.760	4.792	4.941	6.123	0.709
		경제 학부	경제학전공 응용통계학전공 지식재산학전공	3.739	4.757	5.861	0.604	3.166	4.646	4.568	4.957	5.711	0.603
		경영 학부	경영학전공 회계세무학전공	3.500	4.560	5.946	0.550	3.203	4.512	4.290	4.816	5.946	0.614
서울	예체능	미디어영상학과		1.687	3.300	4.734	1.075	3.000	4.241	4.160	4.734	5.363	0.827
	인문	관광개발경영학과		3.787	4.563	5.978	0.687	3.787	4.609	4.245	4.643	6.099	0.763
		관광문화콘텐츠학과		2.707	4.145	4.600	0.663	2.707	4.096	4.198	4.243	5.093	0.739
		호텔외식 경영학부	호텔경영전공 외식조리전공	2.921	4.063	5.255	0.762	2.921	4.115	3.900	4.458	5.255	0.762

(ㄷ) 2023학년도 논술 전형 결과

캠퍼스	모집단위명	계열	모집 인원	지원 인원	경쟁률	충원 인원	최종 등록 인원
수원	국어국문학과	인문	11	167	15.18	1	11
수원	영어영문학과	인문	8	117	14.63	4	8
수원	사학과	인문	4	57	14.25	-	4
수원	문헌정보학과	인문	4	55	13.75	2	4
수원	글로벌어문학부	인문	12	161	13.42	3	12
수원	법학과	인문	6	81	13.50	1	6
수원	공공안전학부	인문	9	182	20.22	3	9
수원	휴먼서비스학부	인문	7	85	12.14	2	7
수원	공공인재학부	인문	12	172	14.33	4	12
수원	경제학부	인문	30	387	12.90	8	29
수원	경영학부	인문	27	426	15.78	1	27
서울	미디어영상학과	예체능	6	128	21.33	2	6
서울	관광개발경영학과	인문	13	207	15.92	-	13
서울	관광문화콘텐츠학과	인문	6	95	15.83	7	6
서울	호텔외식경영학부	인문	12	182	15.17	-	12

캠퍼스	모진단위명	학생부교과등급 (100% cut)							
		최초합격자				최종등록자			
		최고	평균	최저	표준 편차	최고	평균	최저	표준 편차
수원	국어국문학과	3.821	4.701	5.745	0.584	3.821	4.793	5.800	0.636
수원	영어영문학과	3.553	4.801	6.690	0.888	3.183	4.549	6.690	0.979
수원	사학과	3.613	4.582	5.036	0.565	3.613	4.582	5.036	0.566
수원	문헌정보학과	4.000	4.118	4.221	0.081	4.000	4.471	5.898	0.653
수원	글로벌어문학부	3.400	4.459	5.313	0.583	3.400	4.434	5.313	0.538
수원	법학과	3.400	4.701	6.500	1.018	3.400	4.645	6.500	0.953
수원	공공안전학부	2.941	4.251	5.677	0.821	2.941	4.170	5.677	0.808
수원	휴먼서비스학부	3.740	4.688	5.979	0.728	3.740	4.804	5.979	0.730
수원	공공인재학부	3.274	4.050	4.861	0.486	3.274	4.183	5.156	0.551
수원	경제학부	3.542	4.673	5.979	0.616	3.542	4.671	5.979	0.602
수원	경영학부	3.447	4.442	5.320	0.485	3.447	4.460	5.320	0.486
서울	미디어영상학과	3.200	4.197	4.954	0.587	3.200	4.407	5.792	0.731
서울	관광개발경영학과	3.833	4.892	6.739	0.775	3.833	4.892	6.739	0.775
서울	관광문화콘텐츠학과	4.000	4.593	5.608	0.516	3.842	4.584	5.860	0.569
서울	호텔외식경영학부	3.631	4.537	5.616	0.567	3.631	4.537	5.616	0.567

(ㄹ) 2022학년도 논술 전형 결과

계열	모집단위		모집인원	지원인원	경쟁률	충원인원
인문	국어국문학과		9	137	15.22	0
	영어영문학과		8	130	16.25	0
	사학과		4	71	17.75	0
	문헌정보학과		4	80	20.00	1
	문예창작학과		2	34	17.00	3
	글로벌어문학부	독어독문전공 프랑스어문전공 일어일문전공 러시아어문전공 중어중문전공	12	193	16.08	3
	공공안전학부	법학전공 사회복지전공 범죄교정전공 청소년전공 경찰행정전공	22	441	20.05	10
	공공인재학부	행정학전공 국제학전공	12	213	17.75	2
	경제학부	경제학전공 응용통계전공 무역학전공 지식재산전공	30	481	16.03	6
	경영학부	경영학전공 회계세무전공 국제산업정보전공	27	492	18.22	9
예체능	미디어영상학과		6	155	25.83	0
인문	관광학부	관광 경영 전공 관광개발전공 호텔경영전공 외식 •조리전공 관광이벤트전공	33	635	19.24	9
계			169	3062	18.12	43

(ㅁ) 2021학년도 논술 전형 결과

모집단위	모집인원	지원인원	등록인원	충원인원
국어국문학과	7	155	7	3
영어영문학과	7	145	7	1
사학과	4	90	4	0
문헌정보학과	4	90	4	1
문예창작학과	3	60	3	1
글로벌어문학부	13	290	13	4
공공안전학부	23	501	23	6
공공인재학부	12	234	12	2
경제학부	31	600	29	8
경영학부	26	531	26	11
미디어영상학과	6	185	6	0
관광학부	36	785	35	12

2. 논술 분석

구분	인문계열	
출제 근거	고교 교육과정 내 출제 (언어, 인문, 사회 관련 분야의 다양한 제시문)	
출제 범위	국어 교과	국어, 독서, 문학
	사회(역사/도덕 포함)	한국사, 한국지리, 세계지리, 세계사, 동아시아사, 경제, 정치와 법, 사회·문화, 생활과 윤리, 윤리와 사상
논술유형	인문형	
문항 수	2문항	
답안지 형식	문항별 글자수 제한, 원고지형 답안지	
고사 시간	100분	

1) 출제 구분 : 계열 구분

2) 출제 유형 :

- 언어 : 450±50자
- 사회 : 700±50자

3) 출제 및 평가내용 :

- 교과서에 나온 제시문이나 주제(개념 등)를 최대한 활용하여 고등학교 교과과정을 정상적으로 이수한 학생이라면 누구나 쓸 수 있는 문제를 출제
- 수험생의 학업성취도 즉, 각 교과의 지식을 더 깊고 더 넓게 배웠는가를 평가할 수 있는 문항을 출제
- 동서양 고문, 교과서 외의 명저, 학술논문 등의 지문은 인용하지 않음
- 고등학생이 감당하기 어려운 제시문은 배제하며, 제시문이 교과서 범위를 벗어나지 않도록 함
- 지나치게 추상적이고 막연한 논제나 가벼운 말잔치에 그칠 수 있는 논제는 지양
- 주어진 통계자료를 해석, 응용 평가하여 논제를 해결하는 문항을 출제할 수 있음

3. 출제 문항 수

구분	인문계
문항수	2문항 (언어, 사회 각 1문항)

4. 시험 시간

· 100분

5. 논술 유의사항

1) 답안 작성 시 유의 사항

가. 답안지에 모집단위, 수험번호, 성명을 기재하고 답안을 작성할 것

나. 답안작성과 수정은 반드시 흑색 필기구(연필, 샤프 사용 가능)를 사용할 것(수험번호 마킹은 컴퓨터용 사인펜 사용)

다. 답안은 어문 규정과 원고지 사용 규정에 의거하여 작성할 것

라. 가급적 제시문의 문장을 그대로 옮겨 쓰지 말 것

마. 답안의 글자 수는 띄어쓰기를 포함함

바. 아래의 경우는 "0"점 처리함

- 암호 표시나 낙서 또는 기타 불필요한 표기를 한 경우
- 1번 문항과 2번 문항 답안 순서를 바꾸어 작성한 경우
- 흑색이 아닌 필기구로 작성 또는 수정한 경우(단, 수정액과 수정테이프는 사용 가능)
- 자신의 성명 또는 신분이 드러나는 내용이 있는 경우

2) 2025학년도 예시논술 채점 기준

<1번 언어 문항 채점항목>

① 제시문에서 '인간'의 속성으로서 순간성, 유한성, 불완전성에 대한 서술 내용을 이해하고 있는가? [이해력, 분석력]

② 제시문에서 '인간'에 대비되는 '천사'의 속성을 추론하고 있는가? [이해력, 추론력]

③ 저자가 인간을 긍정하는 이유가 '유한성의 인정'과 '순간적 아름다움의 포착'에 있음을 설명하고 있는가? [이해력, 분석력, 논리력]

④ 어문규정, 원고 분량 등을 지키고 있는가? [구성력, 표현력]

<1번 언어 문항 채점기준>

등급	요건
A	위의 요건을 모두 충족하고 있다.
B	위의 요건을 모두 충족하고 있으나, 그 중 ③에 대한 기술이 다소 미흡하다.
C	위의 요건을 모두 충족하고 있으나, 그 중 ① 또는 ②에 대한 기술이 다소 미흡하다.
D	위의 요건 가운데 ①, ②. ③, ④ 중 하나가 기술되지 않거나, 그 중 둘 이상이 매우 불충분하다.
E	위의 요건 가운데 하나 정도만 언급되어 있거나, 전반적으로 이해가 부족하다.

<2번 사회 문항 채점항목>

① 제시문 (나)의 ⓒ에서 전통은 재해석될 수 있다는 점을 파악하고 있는가? [이해력, 논리력, 분석력]

② 제시문 (나)의 ⓒ을 통해 (가)의 ㉠을 비판적으로 평가하고 있는가? [이해력, 비판력, 분석력, 추론력]

③ 제시문 (다)의 역사적 사건들이 '인권'과 관련하여 어떠한 의의가 있는지를 이해하여 설명하고 있는가? [이해력, 분석력]
④ 제시문 (다)를 바탕으로 (가)의 ㉡을 논리적으로 지지하고 있는가? [이해력, 논리력, 분석력, 추론력]
⑤ 어문규정, 원고 분량 등을 지키고 있는가? [구성력, 표현력]

<2번 사회 문항 채점기준>

등급	요건
A	위의 요건을 모두 충족하고 있다.
B	위의 요건을 모두 충족하고 있으나, 그 중 ① 또는 ③에 대한 기술이 다소 미흡하다.
C	위의 요건을 모두 충족하고 있으나, 그 중 ② 또는 ④에 대한 기술이 다소 미흡하다.
D	위의 요건 가운데 ①, ②. ③, ④, ⑤ 중 하나가 기술되지 않거나, 그 중 둘 이상이 매우 불충분하다.
E	위의 요건 가운데 하나 정도만 언급되어 있거나, 전반적으로 이해가 부족하다.

II. 기출문제 분석

1. 출제 경향

학년도	교과목	질문 및 주제
2025학년도 예시 문항	문학	천사의 완벽성, 인간의 유한성, 유한한 인간
	통합사회, 세계사	전통, 인권, 관습, 인간의 권리 획득 과정
2024학년도 수시 논술 A	국어, 독서, 문학	삶의 태도, 부동심(不動心), 성찰과 반성
	통합사회, 고전과 윤리, 사회문화, 생활과 윤리	기회비용, 청렴, 사회실재론, 청탁금지법
2024학년도 수시 논술 B	국어, 문학	상처, 과실, 반성, 치유
	생활과 윤리, 통합사회, 사회문화	전통, 문화변동, 문화사대주의
2023학년도 수시 논술 A	독서, 국어, 문학	슬픔과 공감, 문학적 형상화, 감상적 읽기
	통합사회, 경제, 한국지리	도시내 및 도시로 이동, 슈바베지수, 성장거점개발
2023학년도 수시 논술 B	국어, 문학	문학과 현실, 문학적 상상력
	통합사회, 세계사	사티, 전통, 인권, 인권선언, 세계인권선언
2023학년도 모의 논술	국어, 독서	경제발전, 자연보호, 딜레마, 생태학적 관점
	생활과 윤리, 사회문화, 동아시아사	성 상품화, 여성의 본성, 여성의 권리
2022년도 수시 논술 A	국어, 문학	자아 성찰, 문학의 갈래, 문학의 가치
	통합사회	시장의 한계, 정부의 시장 개입 역할과 한계

학년도	교과목	질문 및 주제
2022학년도 수시 논술 B	문학	타자 이해, 간접 체험, 삶의 다양성
	생활과 윤리, 통합사회	공리주의적 정의관, 응보주의적 정의관, 공동체주의적 정의관
2022학년도 모의 논술	문학	수사적 비약, 의미론적 비약, 문학의 역할
	생활과 윤리, 사회문화, 통합사회	일과 직업, 사회 불평등, 신분
2021학년도 수시 논술 A	국어, 문학	문학과 성찰, 차이의 존중과 공존, 차별 개선
	사회문화, 생활과 윤리	기후 협약, 기후 정의의 시각, 세대 간 정의
2021학년도 수시 논술 B	문학, 독서	문학의 역할, 결핍과 여유, 연대의식
	정치와 법, 윤리와 사상	사마리안 법, 부작위범, 맹자의 4단
2021학년도 모의 논술	국어, 문학	미술과 문학의 연관성, 작품의 표현 방식, 현실을 바라보는 작품별 관점
	생활과 윤리, 사회	사회 정의, 불평등, 분배

2. 출제 의도

학년도	출제의도
2025학년도 예시 논술	● 문항은 완벽성의 표상이라 할 수 있는 '천사'와의 대비를 통해 '인간'이 가지고 있는 본래적인 유한성(비완벽성, 순간성)에 대해 이해할 수 있는지, 그리고 이러한 유한한 인간에 대해 저자가 위대하다는 긍정적인 평가를 하는 이유를 설명할 수 있는지를 평가하기 위해 출제하였다.
	● 전통이라는 이유로 인권을 유린하는 관습이 과연 옳은 것인가에 대해 생각해보고, 이를 통해 '인권'의 본질에 대한 깊이 있는 성찰에 도달하도록 의도되었다. 따라서 학생들은, 전통은 불변의 것이 아니라 재해석이 가능한 개념이라는 관점을 통해 특정한 사회의 풍습을 비판적으로 평가하는 한편, 이러한 사유를 바탕으로 인간의 권리란 끊임없는 노력과 투쟁의 결과 속에서 획득되어 온 것임을 이해할 수 있어야 한다.
2024학년도 수시 논술 A	● 개인의 힘을 넘어서는 외부 세계의 위력 앞에서 동요하지 않는 태도, 이른바 '부동심'의 자세가 어떠한 의미를 갖는지, 다양한 문학 작품을 통해 살펴보려는 데에 그 의의가 있다. 특히, 식민지 조선의 암담한 현실 속에서 서로 다른 삶의 태도를 보여주는 인물(화자)들의 모습을 살펴보고, 이를 통해 "우호적이지 않은 외부의 조건"에도 올바른 신념을 지켜나가는 일이 얼마나 큰 가치를 지니는지 성찰해 보는 것은 이번 논술고사의 핵심적인 부분이다.
	● 시장 경제에서 합리적 선택의 요소인 기회비용 및 사회적 관계망을 바탕으로 형성된 사회 구조 속에서 개인과 집단의 상호작용 과정에 대해 현행 교육과정에서 배우는 개념이나 이론을 적용하여 분석하고 추론할 수 있는지 확인하고 있다. 구체적으로, 기회비용 개념의 세부 내용을 이해하여 청렴의 필요성에 대해 적용할 수 있는지 살펴보고자 한다. 나아가 사회실재론을 바탕으로 법규의 필요성을 논하고 분석할 수 있는지 평가하고자 한다.
2024학년도 수시 논술 B	● 일견 결점, 위기, 상처 등으로 평가될 수 있는 것이 극복, 승화, 치유를 해냈을 때 오히려 그 대상의 존재 가치와 효용을 잘 보여줄 수 있다는 우리 삶의 보편적 진실을 이해하고, 이것이 문학 작품 속에서 어떻게 표상되고 작중 인물에 대한 평가 기준으로서 활용될 수 있는지를 확인하게 하려는 의도에서 출제하였다.
	● 전통문화가 고정불변의 것이 아니라 새로운 요소의 등장이나 다른 문화와의 접촉을 통해 끊임없이 상호 작용하면서 변화할 수 있음을 이해하고, 이러한 문화 변동에 대해서 생각해 보는 것에 초점을 둔다. 학생들은 주어진 제시문의 의미를 파악하여, 전통을 바

학년도	출제의도
	라보는 관점의 차이를 이해하고 문화 변동에 따른 문제점이 무엇인지 명확히 제시할 수 있어야 한다.
2023학년도 수시 논술 A	● 인간의 타자에 대한 '슬픔'의 정서가 다름 아닌 '시의 정신'이라는 점을 이해하고, 그러한 정서가 문학 작품 속에서 구체적으로 어떻게 표현되고 있는지 파악해 보도록 하려는 의도에서 출제하였다. ● 우리나라 공간 불평등 및 지역 개발과 관련된 다양한 현상에 대해 현행 교육과정에서 배우는 개념이나 이론을 적용하여 분석하고 추론할 수 있는지 확인하고 있다. 구체적으로, 관련된 그림이나 표 해석을 통해 도시 내부 및 농촌과 도시 간의 공간 불평등 현상을 주거비와 관련된 개념을 활용하여 비교하고, 그 배경을 우리나라 지역 개발 방식과 연결하여 분석할 수 있는지 평가하고자 한다.
	● 문학이 어떻게 현실을 인식하고, 그것을 어떻게 표현하는가에 대해, 학생들이 얼마나 잘 이해하고 있는지 확인하려는데 출제의 의도가 있다. 제시된 두 편의 문학 지문은 '중력'이라고 하는 동일한 물리학적 현상을 매개로 서로 다른 문학적 상상력을 보여주고 있다는 점에서 흥미롭다. 현실의 문제를 무중력 상태에서의 우주인의 모습을 통해 묘사하거나, 반대로 중력의 세계에서 벗어나 또 다른 세계를 꿈꾸는 인물의 모습으로 형상화하고 있기 때문이다. 따라서 학생들은 겉으로 드러난 문학적 표현들 속에서 작품의 미적 원리를 찾아내 비교하는 한편, 그것이 비유하고 있는 현실 세계의 문제가 무엇인지 찾아낼 수 있어야 한다. ● 전통이라는 이유로 인권을 유린하는 관습이 과연 옳은 것인가에 대해 생각해보고, 이를 통해 '인권'의 본질에 대한 깊이 있는 성찰에 도달하도록 의도되었다. 따라서 학생들은, 전통은 불변의 것이 아니라 재해석이 가능한 개념이라는 관점을 통해 특정한 사회의 풍습을 비판적으로 평가하는 한편, 이러한 사유를 바탕으로 인간의 권리란 끊임없는 노력과 투쟁의 결과 속에서 획득되어 온 것임을 이해할 수 있어야 한다.
2023학년도 모의 논술	● 경제적 발전과 자연보호 사이에서 발생하는 딜레마라고 하는 비교적 익숙한 주제를 담고 있는 제시문들을 바탕으로, 학생들의 논리적인 사유와 추론의 능력을 측정하도록 설계되었다. 경제적인 논리를 앞세워 인간의 이익을 강조하는 태도와 그와는 반대로 영혼을 가진 존재로서 자연물을 보호하려는 관점 사이에 어떠한 차이가 존재하는지 밝히고, 이러한 갈등 상황에 대한 해결 방안으로서 '생태학적 관점'이 어떠한 대안을 제시할 수 있는지 그 의의를 서술하는 것이 본 문제에서 핵심적인 논제라 할 수 있다. ● 여성의 본성이 고정된 불변의 것이 아니라 역사와 문화에 따라 변

학년도	출제의도
	화할 수 있으며, 새롭게 해석될 수 있다는 점에 대해 생각해 보도록 한다. 학생들은 주어진 제시문의 의미를 파악하여, 인물 동상과 초상이 상징하는 바를 분석하고 이것이 다른 관점에서 어떻게 평가될 수 있는지 추론을 통해 명확히 제시할 수 있어야 한다.
2022학년도 수시 논술 A	● 정약용의 교술적인 수필 '수오재기'와 윤동주의 서정적인 시 '자화상'에서 자아 성찰이라는 주제를 공통적으로 다루고 있으면서도 그 서술 방식과 태도, 독자에게 감화·영향을 주는 방식이 다르다는 점을 충실하게 이해하고 분석할 수 있는지를 평가하기 위하여 출제하였다. ● 시장의 한계를 보완하기 위한 경제활동 조정자로서 정부의 개입과 역할, 그리고 그 한계를 묻고 있다. 학생들은 주어진 제시문들의 의미를 파악하여, 시장경제의 문제를 정확히 분석하고 그 해결 방법 및 한계에 대해 명확히 제시하고 추론할 수 있어야 한다.
2022학년도 수시 논술 B	● 현실의 반영물으로써 문학 작품이 어떻게 시대와 사회의 문제를 형상화하는지 살피고, 이 과정에서 예술이 줄 수 있는 효용이 어떠한 것인지 파악하는 데 출제의 의도가 있다. 리얼리즘 문학에서, 소설 속의 주인공이나 시 속의 화자는 저마다 시대와 현실의 특별한 문제를 함축한 전형적 존재들이다. 따라서 인물이나 화자가 처한 상황이 어떠한 것인지 이해하는 일은 작품이 다루는 문제의식과 주제를 파악하는 일이기도 하다. 이런 맥락에서, 그와 같은 현실적인 문제를 해결하는 데 문학과 예술이 어떻게 기여하는지 추측해 볼 수 있다. 예술은 사회의 문제를 포착하고 환기할 뿐만 아니라, 고단한 삶을 위로하고 위안을 주거나, 동일한 처지의 사람들에게 연대감을 주며, 문제 해결에 필요한 새로운 전망을 제공하기도 한다. ● 형벌의 본질에 대한 (가) 공리주의적 관점과 (나) 응보주의적 관점과의 차이를 이해하는지 묻고, (다) 사례를 통해 응보주의적 정의관의 한계를 공동체주의적 정의관의 관점에서 비교 유추할 수 있는지를 묻고 있다.
2022학년도 모의 논술	● 문학예술의 중요한 특징인 '비약'의 본질을 이해하고, 그것이 실제 텍스트에서 어떻게 나타나고 있는지를 묻고 있다. 학생들은 서로 다른 문학 장르에서 나타나는 수사적 비약, 혹은 의미론적 비약의 모습들을 찾아내고 비교 분석할 수 있어야 한다. 또한 이러한 맥락에서, 학생들은 야만적인 현실 속에서 문학이 어떤 역할을 할 수 있는지에 대해서 설명할 수 있어야 한다. ● 현행 교육과정에서 배우는 일과 직업, 사회 불평등에 대한 다양한 이론이나 관점을 이해하고 비교할 수 있는지를 평가하기 위해 설

학년도	출제의도
	계되었다. 또한 표와 그래프를 통해 나타나는 사회 불평등 현상의 실제 사례 속에서 그 의미를 파악·분석하게 함으로써, 이론을 사례에 적용할 수 있는지를 평가하고자 한다.
2021학년도 수시 논술 A	● 대상 작품이 추구하는 사회, 문화적 가치가 무엇인지 파악하는 문학적 이해의 능력과, 다양한 장르의 작품을 서로 연관 짓는 통합적 사고 능력을 측정할 수 있도록 고안되었다. 문학 작품에 등장하는 인물들은 다양한 가치관과 세계관을 가지고 있으며, 이들은 저마다 다른 가치를 지닌 인물, 집단, 세계와 충돌하며 갈등에 휩싸이기도 한다. 따라서 이런 갈등과 충돌이 문학적으로 해소되는 방식을 분석하고, 이를 통하여 세계의 다양성이 훼손되지 않고 조화롭게 공존할 수 있는 가능성을 탐구하는 것은 중요하다. 이러한 의도를 바탕으로 기획된, 본 문항은 교과서에 수록된 소설과 시를 선택해. 각각의 작품이 공유하고 있는 문제의식을 찾고, 그것이 어떻게 문학적으로 형상화될 수 있는지 분석하도록 했다.
	● 기후 변화에 대응하는 국가들의 기후 협약에 드러난 문제점을 인식하고 이를 바탕으로 기후 불평등에 내재된 발전과 인권의 상관관계를 확인함으로써 환경 문제가 정의(正義)의 시각에서 고찰해야 할 논쟁적 주제임을 파악할 수 있는가 그리고 '기후 정의'(Climate Justice)의 시각에서 책임의 윤리가 갖는 의미를 '세대간 정의'(Intergenerational Justice)를 기초로 이해할 수 있고, 더 나아가 이를 분배적 정의의 차원에서 설명할 수 있는가를 평가하기 위하여 출제하였다.
2021학년도 수시 논술 B	● 개인의 삶의 의미와 가치에 대한 성찰 및 자신이 속한 사회에 대한 성찰이 문학 작품 속에서 어떻게 형상화되고 있는지, 그리고 이를 통해 인간과 세계에 대한 이해와 바람직한 방향으로의 개선을 위한 실천 의지가 어떻게 드러나고 있는지를 파악해 보도록 하려는 의도에서 출제하였다.
	● '착한 사마리아인법'을 통해서 형법의 의의와 기능을 파악하고, 맹자의 도덕 윤리가 갖는 의미를 알고 있는지 확인하고 있다. 제시문을 통해 '착한 사마리아인법'의 입법 취지를 이해할 수 있는 능력과 맹자의 도덕 윤리를 '착한 사마리아인법'과 비교하여 분석하고 추론하는 능력을 측정하고자 한다.
2021학년도 모의 논술	● 학생들이 미술과 문학이라는 상이한 예술영역 사이의 연관성을 발견하고 각 문학작품에 담겨 있는 내용과 표현방식을 충실하게 이해할 수 있는지를 평가하기 위하여 출제하였다. 작품을 통해 현실 세계를 새롭게 돌아보고 문학의 의의와 가치를 고찰하도록 하려는 목적도 있다.

학년도	출제의도
	● 사회 정의 및 불평등 현상을 현행 교육과정에서 배우는 이론이나 개념을 이용하여 분석할 수 있고 이와 관련된 대안의 의미를 알고 있는지 확인하고 있다. 표를 통해 나타나는 사회 불평등 현상을 파악하고 분석할 수 있는 능력과 다양한 분배 정의 관점을 이해하고 적용하는 능력 제시된 새로운 제도의 의미를 추론하는 능력을 평가하고자 한다.

III. 논술이란?

1. 논술이란?

1) 논술이란?

어떤 문제에 대해 자기 나름의 주장이나 견해를 내세운 다음, 여러 가지 근거를 제시하여 그 주장이나 견해가 옳음을 증명하는 글쓰기 활동을 말한다. 따라서 논술의 가장 기본적인 요소는 주장과 근거이다. 다시 말해 어떤 주제에 관해서 자신의 견해를 밝히고 자기 의견을 내세우는 글이 바로 논술이다. 때문에 논술은 특별히 논리적이어야 한다는 요구를 받게 된다. 왜냐하면 여러 가지 의견이 있을 수 있는 문제에 대해 자신의 의견을 세워 다른 사람을 설득하려면, 그 주장이 충분한 근거 위에서 논리적으로 개진될 때만 가능하기 때문이다.

2) 대한민국 논술고사는?

한국에서의 대학 입시 논술고사는 실제 교과 과정과 교과서가 기본이 되어 응용된 사고와 풀이 능력과 지식을 바탕으로 한다. 논술고사는 일반적을 비판적으로 글을 읽는 능력과 창의적으로 문제를 설정하고 해결하는 능력 그리고 논리적으로 서술하는 능력을 종합적으로 평가하는 시험이다. 비판적으로 글을 읽는다는 것은 능동적으로 자신의 관점에서 글을 읽는 것을 말하며, 창의적으로 문제를 설정하고 해결하는 능력이란 심층적이고 다각적으로 논제에 접근함으로써 독창적인 사고와 풀이를 이끌어낼 수 있는 능력을 말한다. 그리고 논리적 서술 능력은 글 구성 능력, 근거 설정 능력, 표현 능력 등을 포괄한다.

3) 인문계 논술? 그리고 그 변화

모든 글은 일반적으로 3가지 종류로 나뉘어진다. 시, 소설 등 문학 작품과 같은 글쓰기인 창작적 글쓰기(creative writing)와 설명문이나 해설문의 글쓰기는 해명적 글쓰기(expository writing), 그리고 논설문의 글쓰기인 비판적 글쓰기(critical writing)가 있다. 이 글쓰기 중 대한민국의 대학입시에서 시행되고 있는 인문계 논술은 창작적 글쓰기는 포함되지 않는다. 새로운 문학 작품을 쓰는게 아니라 제시문을 읽고 내용을 구체화시켜 잘 설명하는 설명문의 형태가 있고, 주어진 문제에 대해 생각하고 깊이있는 주장을 피력하는 비판적 글쓰기도 있다.

2. 논술의 기본 용어

1) 논제 : 논술의 문제를 의미한다.

반드시 해결하고 접근하여야 할 논술 시험의 대상이다.

(ㄱ) 중심 논제 : 채점할 때 가장 배점이 높으며, 핵심적으로 해결해야 할 논술의 문제

(ㄴ) 세부 논제 : 큰 논제 속에 포함된 작은 문제, 각 단계별 채점의 기준이 되며 세부 채점 항목으로 필수 해결 항목이다.

2) 논거 : 논술에서 설명하고 주장하는 논리적인 근거 혹은 이유

3) 주장 : 수험생이 생각하고 채점자에게 알리고 싶은 생각

4) 제시문 : 보기 지문을 말한다.

(ㄱ) 출제자가 논제 해결을 위해 보여주는 다양한 글

(ㄴ) 각종 그래프, 도표, 그림 등

자료가 정해져 있지는 않다. 하지만 고등학교 교과서를 가장 많이 인용하고, 고등학교 교과 과정으로 분석하고 판단할 수 있는 내용을 제시한다.

5) 개요 : 논제에 맞게 더 구체적으로는 세부 논제에 맞게 글의 진행 방향을 간략하게 정리하는 과정이다.

3. 논술의 명령어

논술고사 후 대학의 발표 자료를 보면 논술은 출제자의 의도에 부합하게 글을 써야 한다고 강조한다. 그런데 출제자의 의도를 파악하는 것은 자칫 상당히 모호하고 주관적인 것으로 판단하기 쉽다.

하지만 인문계 논술에서는 명령어가 한정되어 있다. 그 명령어들을 잘 익히고 의미를 파악한다면 훨씬 논술의 이해가 높아질 것이다. 또한 대학의 채점 기준에는 명령어의 요구 조건을 충족하는지를 평가한다. 그러므로 인문계 논술의 명령어는 수험생에게는 아주 기초적이지만 필수적이며 절대 잊지 말아야 할 중요한 핵심이다.

1) ~ 에 대해 논술하시오.

; 주장을 밝히고 근거를 제시한다.

2) ~ 에 대해 설명하시오.

: 사실, 주장 등을 쉽게 풀어서 밝힌다.

- **~ 제시문 간의 관련성을 설명하시오.**
- **~ 제시문의 논리적 타당성과 문제점을 설명하시오.**
- **~ 제시문을 참고하여 주어진 자료의 특징을 설명하시오.**
- **~ 제시문의 관점에서 왜 그런 현상이 생기는지 그 이유를 설명하시오.**

3) ~ 의 비교하시오. 혹은 대조하시오.

: 공통점과 차이점을 중심으로 설명한다.

- **~ 공통점과 차이점을 설명하시오.**

4) ~ 을 분석하시오.

: 주제를 구성요소로 나누고 각 부분의 의미와 상호관계를 밝힌다.

5) ~ 제시문과 주어진 자료를 참고하여 현상을 예측해 보시오.

: 주어진 자료를 해석하고 자료로부터 얻을 수 있는 시간에 따른 변화나 자료의 발생 이유를 살핀다.

6) ~ 제시문의 문제점을 지적하고 그 문제점을 해결할 방법을 제시하시오.

: 보통은 수학이나 과학의 역사에서 발생했던 여러 오류나 실험과정에서 나타난 문

제점을 가지고 있다. 또한 이론이나 실험, 학생의 실험보고서 등과 같이 확실한 오류가 있는 제시문을 주기도 한다. 분명히 문제점을 파악하여 답안에 서술하고 문제점이나 해결할 수 있는 방법 등을 명확히 하여야 한다.

● ~ 제시문의 관점에서 왜 그런 현상이 생기는지 그 원리를 설명하고 그런 현상을 예방할 수 있는 방안을 제시하시오.
● ~ 문제점을 지적하고 합리적 대안을 제안해 보시오.
● ~ 주어진 관점을 검증할 수 있는 방법을 논하시오.
● ~ 주어진 문제점을 해결할 수 있는 실험을 설계해 보시오.

7) 제시문의 관점에서 주장을 비판하시오.

: 어떤 주장의 타당성이나 가치 등을 평가한다.

4. 인문계 논술 글쓰기 유의사항

① 논제의 해결이 핵심이다. 출제자가 원하는 답을 써야 한다.

② 논제에 부합하는 글을 일관성 있게 써야 한다.

③ 한편의 글을 완성하여야 한다. 나열하거나 사례를 보여주는 것은 의미가 없다.

④ 제시문을 활용, 인용하는 것과 제시문을 그대로 옮겨 쓰는 것은 다르다. 적절하게 제시문의 내용을 사용하여 논제를 해결하여야 한다. 절대 제시문의 문장을 그대로 쓰면 안 된다. 금기사항이고 감점요인이다.

⑤ 부적절한 문장 즉, 비문을 만들지 말아야 한다. 주어와 서술어가 적절하게 있어 문장의 의미를 명확히 전달하여야 한다. 주어를 생략하거나 지시어를 과도하게 사용하면 문장의 의미가 모호해 진다.

⑥ 문장은 짧고 간결하게 써야 한다. 자신의 의견을 명확히 간결하고 효과적으로 밝혀야 한다.

5. 논술 확인 사항

1. 답안지는 지급된 흑색 볼펜으로 원고지 사용법에 따라 작성하여야 합니다.
(수정액 및 수정테이프 사용 금지)
2. 수험번호와 생년월일을 숫자로 쓰고 컴퓨터용 사인펜으로 ● 표기하여야 합니다.
3. 답안의 작성 영역을 벗어나지 않도록 각별히 유의 바라며, 인적사항 및 답안과
. 관계없는 표기를 하는 경우 결격 처리 될 수 있습니다.
4. 제시된 작성 분량 미 준수 시 감점 처리됨을 유의 바랍니다.

Ⅳ. 인문계 논술 실전

1. 각 대학별 논술 유의사항을 파악하라!

많은 대학에서 글자수 제한을 확인하여야 한다. 그래서 원고지 형이 많지만, 문항별 칸을 만들거나 밑줄 답안 형식도 있다. 논술 시험 시간은 각 대학별로 다양하다. 60분 즉, 한 시간을 시작으로 많게는 2시간까지 (120분)까지 다양하게 있다. 대학별로 준비해야 하는 중요한 이유이다. 답안을 작성하는 필기구도 다양하다. 연필(샤프펜)의 사용이 꾸준히 증가하지만 아직까지 검정색 볼펜이나 청색 볼펜으로 사용하는 학교도 많다. 주의할 것은 수정법이다. 수정은 학교에 따라 수정액, 수정테이프의 사용을 제한하는 경우도 있고 틀리면 두줄을 긋고 써야 하는 곳도 있다. 그러므로 각 대학별 특징을 파악하고, 미리 답안 작성 연습은 물론이고 작성할 때도 대학별로 금지하는 내용을 숙지하고 시험장에 가야 한다.

각 대학별 유의사항 사례

사례 1)

가. 답안은 한글로 작성하되, 글자수 제한은 없다.

나. 제목은 쓰지 말고 특별한 표시를 하지 말아야 한다.

다. 제시문 속의 문장을 그대로 쓰지 말아야 한다.

라. 반드시 본 대학교에서 지급한 필기구를 사용하여야 한다.

마. 수정할 부분이 있는 경우 수정도구를 사용하지 말고 원고지 교정법에 의하여 교정하여야 한다.

바. 본 대학교에서 지급한 필기구를 사용하지 않거나, 수정도구를 사용한 경우, 답안지에 특별한 표시를 한 경우, 또는 원고지의 일정분량 이상을 작성하지 않은 경우에는 감점 또는 0점 처리한다.

사례 2)

Ⅰ. 필요한 경우 한 개 또는 여러 개의 제시문을 선택하여 논의를 전개하고, 사용한 제시문은 꼭 참고문헌 형태로 표시하시오.

예) …[제시문 1-4].

예) …되며[제시문 2-4], …의 경우는 ~을 보여준다[제시문 2-1].

Ⅱ. [문제 1]부터 [문제 4]까지 문제 번호를 쓰고 순서대로 답하시오.

Ⅲ. 연필을 사용하지 말고, 흑색이나 청색 필기구를 사용하시오.

Ⅳ. 인적사항과 관련된 표현을 일절 쓰지 마시오.

Ⅴ. 문제당 배점은 동일함.

사례 3)

◇ 각 문제의 답안은 배부된 OMR 답안지에 표시된 문제지 번호에 맞춰 작성하시오.

◇ 각 문제마다 정해진 글자수(분량)는 띄어쓰기를 포함한 것이며, 정해진 분량에 미달하

거나 초과하면 감점 요인이 됩니다.
◇ 답안지의 수험번호는 반드시 컴퓨터용 수성 사인펜으로 표기하시오.
◇ 답안은 검정색 필기구로 작성하시오. (연필 사용 가능)
◇ 답안 수정시 원고지 교정법을 활용하시오. (수정 테이프 또는 연필지우개 사용 가능)
◇ 답안 내용 및 답안지 여백에는 성명, 수험번호 등 개인 신상과 관련된 어떤 내용, 불필요한 기표하면 감점 처리됩니다.

사례 4)
◆ 답안 작성 시 유의사항 ◆
□ 논술고사 시간은 90분이며, 답안의 자수 제한은 없습니다.
□ 1번 문항의 답은 답안지 1면에 작성해야 하고, 2번 문항의 답은 답안지 2면에 작성해야 합니다. 1, 2번을 바꾸어 작성하는 경우 모두 '0점 처리'됩니다.
□ 연습지는 별도로 제공하지 않습니다. 필요한 경우 문제지의 여백을 이용하시기 바랍니다.
□ 답안은 검정색 또는 파란색 펜으로만 작성하며 연필, 샤프는 사용할 수 없습니다.
□ 답안 수정은 수정할 부분에 두 줄로 긋거나 수정테이프(수정액은 사용 불가)를 사용해서 수정합니다.
□ 답안지에는 답 이외에 아무 표시도 해서는 안 됩니다.
□ 답안지 교체는 고사 시작 후 70분까지 가능하며, 그 이후는 교체가 불가합니다.

2. 제시문에 먼저 눈을 두지 말고 문제를 파악하라!!!

대학별 고사인 논술의 어려운 점은 시간의 제한이 있는 글쓰기 시험이라는 것이다. 자유롭게 잘 쓸 수 있는 내용일지라도 시간의 제한이 있으면 얘기가 달라진다. 특히 지금과 같이 각 대학별로 다양하게 등장하는 시험에 익숙하지 않은 수험생에게는 더 큰 부담으로 작용을 한다.

대학에서는 다양하게 제시문과 문제를 분포시킨다. 문제를 등장시키고 제시문이 등장하는 경우, 그림과 도표, 그래프 등과 같이 자료를 제시하고 제시문과 문제를 함께 등장시키는 경우, 제시문을 많이 등장시키고 마지막에 문제를 제시하는 경우 등... 이렇듯 다양한 문제에 시간의 적절한 활용은 대학별 고사의 실전에서는 당락을 결정하는 중요 요소이다.

이러한 실전적 논술에서 핵심은 바로 목적을 가지고 제시문의 읽기가 선행되어야 한다. 글 읽기의 핵심은 문제을 통해 논제를 구체적으로 파악하고 그 논제에 부합하게 제시문을 분석하는 것이다.

① 문제를 먼저 확인하라!! - 제시문을 읽고 문제를 보면 다시 긴 제시문을 또 읽어 시간을 낭비한다.
② 세부 논제 확인하라!! - 한 문제라도 그 문제 속에 다루는 논제는 여러 개가 될 수 있

다. 그 질문 내용을 파악하라. 그리고 요구한 논제에 맞게 글을 구성한다.
③ 전제적 요건 파악하라!! - 각 문제의 전제적 요건 및 글로 표현된 부연 설명 등이 중요한 키워드가 될 수 있다.

V. 경기대학교 기출

1. 2025학년도 경기대 예시 논술

[문항 1] [언어] <가>에서 ㉠천사와 ㉡인간이 어떤 점에서 대비되고 있는지 설명하고, 저자가 인간을 긍정하는 이유를 서술하시오. (주의!450 ± 50자 변경됨!)

<가>

남미 작가 호르헤 루이 보르헤스가 나이 80을 넘기면서 쓴 시에 〈순간〉이라는 것이 있다. '다음 생에 태어나 내가 다시 산다면'으로 시작되는 시다. 그는 자신의 한 생이 '순간'이었음을 알고 있다. 그러나 그 순간이 그 다음의 순간으로 이어진다면 그 새로운 생을 어떻게 달리 살아볼 것인가. 다음 생에 태어나 내가 다시 산다면? 그리고 이어서 나오는 구절 — '더 많은 실수를 저지르리 / 완벽해지려고 버둥거리지 않으리.' 생의 순간적 단회성은 그 단회성을 넘어서는 연속의 상상과 접합하고 이미 한 생의 끝자락에 선 자의 기억은 지나간 생에 대한 성찰[실수하지 않으려고 왜 그토록 버둥거렸던가] 위에서 다른 삶의 방식[더 많이 실수하리]을 제시한다.

재탄생의 상상력은 물론 불가능한 것에 대한 상상이다. 그러나 중요한 것은 알 수 없는 미래를 향한 그 상상력이 과거의 기억, 혹은 지나간 삶에 대한 성찰과 결합해 있다는 점이다. 이것이 기억과 상상의 접합이다. 이런 접합은 인간이 처한 유한한 조건으로부터 나오고 그 조건 때문에 가능하다. 게다가, 그 연속의 상상력 속에서 새로운 삶의 방식은 유한성을 거부하는 것이 아니라 오히려 확인한다. 인간이 완벽성을 추구할 수 없다는 것이 유한성의 인정이다. ㉠천사에게라면 이런 성찰, 상상, 인정은 필요하지 않다.

기억과 사유, 상상과 표현은 ㉡인간을 인간이게 하는 독특한 능력들의 목록을 대표한다. 인간이 천사를 향해 자랑할 것도 결국은 그 네 가지 능력으로 집약된다. 인간은 기억하고 생각하고 상상하고 표현하는 존재이다. 그 네 가지 능력의 어느 것도 완벽하지 않다. 기억은 수많은 구멍들을 갖고 있고 사유는 불안하다. 상상은 기억과 사유의 한계를 확장하지만 유한한 경험의 울타리를 아주 벗어나지는 못한다. 표현의 형식과 내용도 시간성에 종속된다. 그러나 기억, 사유, 상상, 표현의 인간적 시도들은 그것들이 지닌 한계 때문에 무용해지는 것이 아니라 유한한 것들만이 가지는 순간적 아름다움의 광채를 포착하고 표현하기 때문에 위대하다. 워즈워스의 '5월의 꽃', 푸시킨이 노래한 '해 질 녘 다리 위의 소녀와 잠자리 떼', 괴테가 본 '마리엔바드의 위대한 가을 숲', 프로스트의 '눈 내리는 겨울 숲' — 이런 것들은 그 순간성 때문에 아름답다.

도정일, <고독한 성찰과 불안한 의심의 극장>, 『고등학교 문학』

[문항 2] [사회] <나>의 ⓒ의 관점에서 <가>의 ㉠을 비판하고, <다>의 역사적 사건들이 갖는 의의를 통해 <가>의 ㉡을 지지해 보시오. (700 ± 50자)

<가>

사티(sati, suttee)는 남편이 죽고 나서 화장할 때 아내를 산 채로 함께 화장하는 힌두교의 옛 풍습이다. 가장 오래된 사례는 기원후 510년에 행해진 것으로 추정되며, 1829년에 금지령이 내려지면서 점점 줄어들었다. 그런데 1987년에도 18세의 한 여성이 사티에 희생당한 사건이 있었다. 일부 힌두교도들이 사티를 지지하는 이유는, 그것이 ㉠힌두 사회의 전통 가치를 수호하는 방법이라 믿기 때문이다. 이들은 힌두교의 전통을 위해서, 사티처럼 여성이 희생하는 미풍양속은 지켜져야 하며, 이를 위해서라면 자살이나 테러, 전쟁까지도 감행할 수 있다고 여긴다. ㉡모든 사람들에게는 누구도 빼앗거나 무시할 수 없는, 인간으로서 누려야 할 보편적 권리가 있다는 신념마저 힌두교의 전통을 위해서라면 중요하지 않다고 믿는 것이다.

『고등학교 통합사회』

<나>

ⓒ전통은 전통적이지 않다. 지극히 현대적이다. 역사로서의 전통의 의미와 관련하여 영국의 문화 이론가인 윌리엄스(Williams, R.)는 '선별된 전통(selective tradition)'이라는 개념을, 또한 영국의 역사학자인 홉스봄(Hobsbawm, E.)은 '전통의 발명(invention of tradition)'이라는 개념을 제시하였다.

『고등학교 통합사회』

<다>

(1) 1789년 프랑스의 루이 16세는 계속된 전쟁과 왕실의 사치로 발생한 재정 문제를 해결하기 위해 삼부회를 소집하였다. 여기서 제3 신분인 평민은 신분별 표결이 아닌 머릿수 표결과 자신들의 대표 수 증가를 요구하였다. 이것이 받아들여지지 않자 제3 신분은 독자적으로 국민 의회를 구성하고, '테니스 코트의 서약'을 통해 단결을 공고히 하였다. 한편, 왕실이 국민의회를 탄압할 조짐이 보이자, 파리 시민들은 바스티유 감옥을 습격하였다. 혁명의 불길은 점차 전국으로 확산하여 갔다. 국민 의회는 각종 개혁 조치를 통해 민심을 달래는 한편, '인권선언'을 발표하여 혁명의 기본 원칙을 제시하였다.

『고등학교 세계사』

(2) 인류는 두 차례 세계 대전을 겪으며 전쟁으로 많은 사람이 목숨을 잃고 재산상의 피해를 입는 등 인간의 존엄성이 위협받는 상황을 경험하였다. 제2차 세계 대전은 희생자가 약 5,500만 명에 이를 정도로 역사상 가장 피해가 큰 전쟁이었다. 특히 인종 대학살, 폭격기에 의한 무차별 공습, 여성 인권 유린 등이 나타나면서 민간인 희

생자도 많았다. 이후 인류의 인권 보장을 위해 1948년 국제 연합(UN) 총회에서 만장일치로 '세계 인권 선언'을 채택하였다. 이 문서에는 인간의 자유, 평등에 관한 기본적 권리 외에도 사회적·문화적 권리 등이 명시되어 있다.

『고등학교 통합사회』

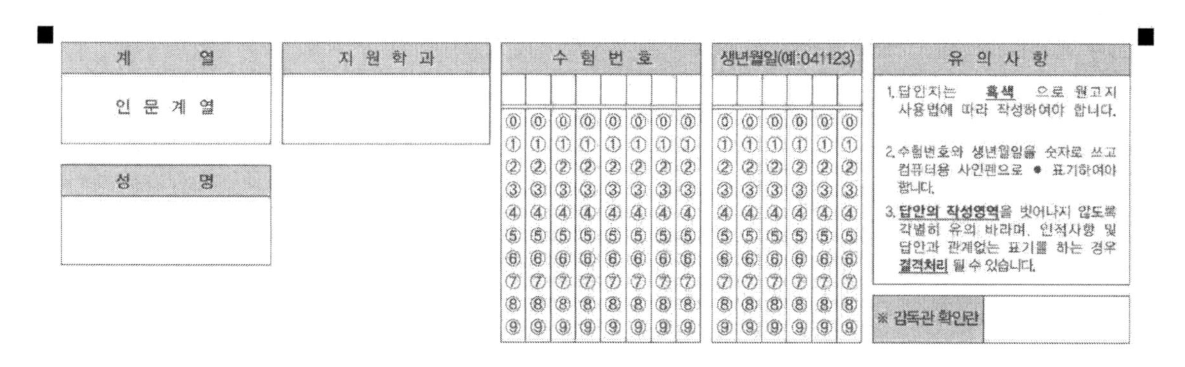

계열	지원학과	수험번호	생년월일(예:041123)
인문계열			
		⓪ ⓪ ⓪ ⓪ ⓪ ⓪ ⓪ ⓪	⓪ ⓪ ⓪ ⓪ ⓪ ⓪
		① ① ① ① ① ① ① ①	① ① ① ① ① ①
		② ② ② ② ② ② ② ②	② ② ② ② ② ②
		③ ③ ③ ③ ③ ③ ③ ③	③ ③ ③ ③ ③ ③
		④ ④ ④ ④ ④ ④ ④ ④	④ ④ ④ ④ ④ ④
		⑤ ⑤ ⑤ ⑤ ⑤ ⑤ ⑤ ⑤	⑤ ⑤ ⑤ ⑤ ⑤ ⑤
		⑥ ⑥ ⑥ ⑥ ⑥ ⑥ ⑥ ⑥	⑥ ⑥ ⑥ ⑥ ⑥ ⑥
		⑦ ⑦ ⑦ ⑦ ⑦ ⑦ ⑦ ⑦	⑦ ⑦ ⑦ ⑦ ⑦ ⑦
		⑧ ⑧ ⑧ ⑧ ⑧ ⑧ ⑧ ⑧	⑧ ⑧ ⑧ ⑧ ⑧ ⑧
		⑨ ⑨ ⑨ ⑨ ⑨ ⑨ ⑨ ⑨	⑨ ⑨ ⑨ ⑨ ⑨ ⑨

성명

유의사항

1. 답안지는 **흑색** 으로 원고지 사용법에 따라 작성하여야 합니다.
2. 수험번호와 생년월일을 숫자로 쓰고 컴퓨터용 사인펜으로 ● 표기하여야 합니다.
3. **답안의 작성영역**을 벗어나지 않도록 각별히 유의 바라며, 인적사항 및 답안과 관계없는 표기를 하는 경우 **결격처리** 될 수 있습니다.

※ 감독관 확인란

【1번】 답안 **(반드시 해당 문제와 일치하여야 함)**

40

80

120

160

200

240

280

320

360

400

440

이 줄 아래에 답안을 작성하거나 낙서할 경우 판독이 불가능하여 채점 불가

이 줄 위에 답안을 작성하거나 낙서할 경우 판독이 불가능하여 채점 불가

480

이 줄 아래에 답안을 작성하거나 낙서할 경우 판독이 불가능하여 채점 불가

이 줄 위에 답안을 작성하거나 낙서할 경우 판독이 불가능하여 채점 불가

【2번】 답안

(반드시 해당 문제와 일치하여야 함)

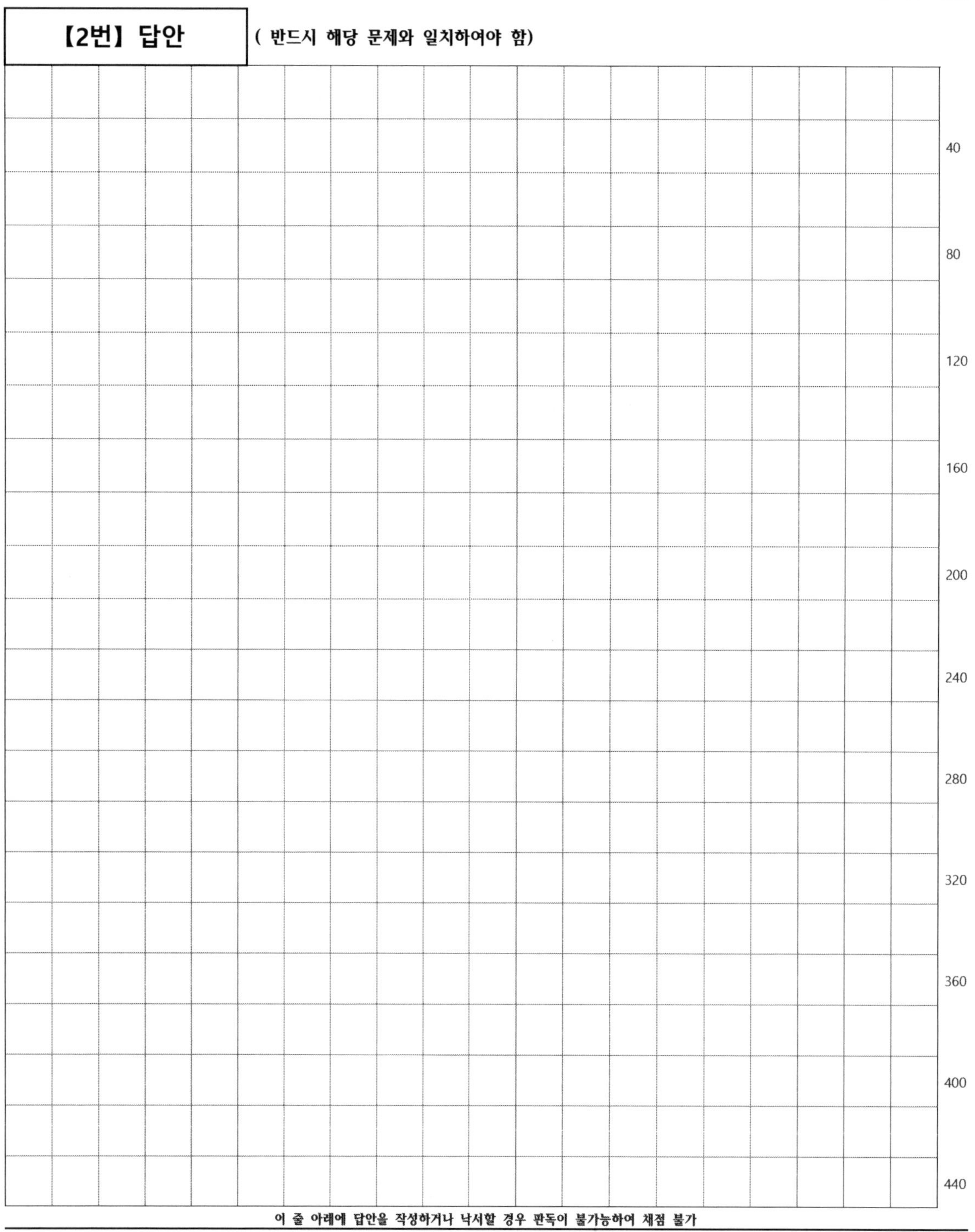

이 줄 아래에 답안을 작성하거나 낙서할 경우 판독이 불가능하여 채점 불가

이 줄 위에 답안을 작성하거나 낙서할 경우 판독이 불가능하여 채점 불가

480
520
560
600
640
680
720
760
800

이 줄 아래에 답안을 작성하거나 낙서할 경우 판독이 불가능하여 채점 불가

2. 2024학년도 경기대 수시 논술 A형

[문항 1] <가>에서 나타나는 '이인국'의 삶의 방식을 <나>의 ㉠의 관점에서 비판하고, <다>의 시적 화자가 보이는 삶의 태도를 <가>와 비교하여 서술하시오. (700 ± 50자)

<가>

벌써 육 개월 전의 일이다.

형무소에서 병보석으로 가출옥되었다는 중환자가 업혀서 왔다.

휑뎅그런 눈에 앙상하게 뼈만 남은 몸을 제대로 가누지도 못하는 환자, 그는 간호원의 부축으로 겨우 진찰을 받았다.

청진기의 상아 꼭지를 환자의 가슴에서 등으로 옮겨 두 줄기의 고무줄에서 감득되는 숨소리를 감별하면서도, 이인국 박사의 머릿속은 최후 판정의 분기점을 방황하고 있었다.

입원시킬 것인가, 거절할 것인가…….

환자의 몰골이나 업고 온 사람의 옷매무새로 보아 경제 정도는 뻔한 일이라 생각되었다.

그러나 그것보다도 더 마음에 켕기는 것이 있었다. 일본인 간부급들이 자기 집처럼 들락날락하는 이 병원에 이런 사상범을 입원시킨다는 것은 관선 시의원이라는 체면에서도 떳떳지 못할 뿐더러, 자타가 공인하는 모범적인 황국신민(皇國臣民)의 공든 탑이 하루아침에 무너지는 결과를 가져오는 것이라는 생각이 들었다.

순간 그는 이런 때의 가부 결정에 일도양단하는 자기 식으로 찰나적인 단안을 내렸다. 그는 응급 치료만 하여 주고 입원실이 없다는 가장 떳떳하고도 정당한 구실로 애걸하는 환자를 돌려보냈다.

중략 부분의 줄거리: 해방 전까지 승승장구하던 친일파 의사 이인국은 해방 후, 우연히 자신을 노려보는 청년과 눈이 마주치고, 그가 입원을 거절당한 환자였다는 사실을 알게 된다. 해방 이후의 사회 변화에 불안과 초조를 느끼던 이인국은 소련군이 입성할 것이라는 소식을 듣고선, 움찔하며 자리에서 일어나 벽장문을 열어 액자를 꺼낸다.

'국어 상용의 가(家).'

해방되던 날 떼어서 집어넣어 둔 것을 그동안 깜빡 잊고 있었다.

그는 액자 틀 뒤를 열어 음식점 면허장 같은 두터운 모조지를 빼내어 글자 한 자도 제대로 남지 않게 손끝에 힘을 주어 꼼꼼히 찢었다.

이 종잇장 하나만 해도 일본인과의 교제에 있어서 얼마나 떳떳한 구실을 할 수 있었던 것인가. 야릇한 미련 같은 것이 섬광처럼 머릿속을 스쳐 갔다.

환자도 일본 말 모르는 축은 거의 오는 일이 없었지만 대외 관계는 물론 집 안에서도 일체 일본 말만을 써 왔다. 해방 뒤 부득이 써 오는 제 나라 말이 오히려 의사 표현에 어색함을 느낄 만큼 그에게는 거리가 먼 것이었다.

마누라의 솔선수범하는 내조지공도 컸지만 애들까지도 곧잘 지켜 주었기에 이 종잇장을 탄 것이 아니던가. 그것을 탄 날은 온 집안이 무슨 큰 경사나 난 것처럼 기뻐들 했었다.
"잠꼬대까지 국어로 할 정도가 아니면 이 영예로운 기회야 얻을 수 있겠소."
하던 국민 총력 연맹 지부장의 웃음 띤 치하 소리가 떠올랐다.

전광용, <꺼삐딴 리>, 『고등학교 국어』

<나>

한 개인은 끊임없이 외부와 영향을 주고받는다. 그리고 외부의 힘은 한 개인의 힘을 넘어서는 것처럼 보인다. 현실 권력의 힘, 주변의 상황 등이 언제나 각 개인의 삶의 방향을 결정하는 것처럼 보이기 때문이다. 그러나 맹자는 어떤 사람들은 외부의 힘에 좌우되지 않고 자신의 길을 걸어간다고 주장한다. 예컨대 현명한 선비는 자신의 도를 즐기고 다른 사람의 권세를 잊으며, 자신에게 우호적이지 않은 외부의 조건에도 불구하고 흔들림 없이 자신의 길을 간다. 맹자는 이러한 태도를 마음이 동요하지 않는 것, 즉 ㉠'부동심(不動心)'이라는 말로 요약한다. 맹자는 부동심을 중시했다. 왜냐하면 인간의 선한 본성을 현실화하는 일을 주관하는 '마음'이, 사람들의 말이나 감각적 욕구, 육체적 충동 등과 같은 여러 가지 요소에 흔들려 선한 본성을 제대로 발현시키지 못하는 경우가 발생할 수 있기 때문이다.

『고등학교 독서』

<다>

계절이 지나가는 하늘에는
가을로 가득 차 있습니다.

나는 아무 걱정도 없이
가을 속의 별들을 다 헤일 듯합니다.

가슴속에 하나둘 새겨지는 별을
이제 다 못 헤는 것은
쉬이 아침이 오는 까닭이요,
내일 밤이 남은 까닭이요,
아직 나의 청춘이 다하지 않은 까닭입니다.

별 하나에 추억과
별 하나에 사랑과
별 하나에 쓸쓸함과
별 하나에 동경과
별 하나에 시와
별 하나에 어머니, 어머니,

어머님, 나는 별 하나에 아름다운 말 한마디씩 불러 봅니다. 소학교 때 책상을 같이 했던 아이들의 이름과, 패, 경, 옥 이런 이국 소녀들의 이름과, 벌써 애기 어머니 된 계집애들의 이름과, 가난한 이웃 사람들의 이름과, 비둘기, 강아지, 토끼, 노새, 노루, 프랑시스 잠, 라이너 마리아 릴케, 이런 시인의 이름을 불러 봅니다.

이네들은 너무나 멀리 있습니다.
별이 아슬히 멀듯이,

어머님,
그리고 당신은 멀리 북간도에 계십니다.

나는 무엇인지 그리워
이 많은 별빛이 내린 언덕 위에
내 이름자를 써 보고,
흙으로 덮어 버리었습니다.

딴은 밤을 새워 우는 벌레는
부끄러운 이름을 슬퍼하는 까닭입니다.

그러나 겨울이 지나고 나의 별에도 봄이 오면
무덤 위에 파란 잔디가 피어나듯이
내 이름자 묻힌 언덕 위에도
자랑처럼 풀이 무성할 게외다.

윤동주, <별 헤는 밤>, 『고등학교 문학』

[문항 2] <가>를 근거로 <나>의 '청렴'해야 하는 이유를 설명하고, <다>의 관점에서 <라>의 ㉠이 가지는 의의를 서술하시오. (700 ± 50자)

<가>

어떤 경제적 선택을 할 때 직접 화폐로 지출하는 비용을 명시적 비용이라 하고, 화폐로 지출하지는 않지만 발생하는 비용을 암묵적 비용이라고 한다. 예를 들어 식당을 운영하는 갑이 5일간 해외여행을 간다고 하자. 갑이 해외여행 경비로 쓰게 되는 돈은 200만 원이다. 이때 해외여행의 기회비용을 200만 원이라고 생각하기 쉽지만, 이는 명시적 비용만 계산한 것이다. 해외여행을 가는 것의 기회비용에는 이 돈뿐만이 아니라 식당 영업을 하지 않는 동안 포기해야 하는 수입인 암묵적 비용도 포함해야 한다. 왜냐하면, 여행을 감으로써 돈을 벌 기회를 포기해야 하기 때문이다. 따라서 5일간 식당에서 벌 수 있는 수입이 100만 원이라고 했을 때, 갑이 해외여행을 가는 것의 기회비용은 총 300만 원이 된다. 이렇게 기회비용은 명시적 비용과 암묵적 비용을 모두 포함한다.

『고등학교 통합사회』

<나>

정약용은 공직자가 갖추어야 할 가장 기본적인 덕목으로 청렴을 설정하고 있다. 청렴이야말로 공직자가 행하는 모든 선과 덕의 원천이라고 강조했던 것이다. 그러나 그는 이 덕목을 결코 관념적으로만 이해하지 않고 크게 욕심내는 사람이야말로 오히려 더 청렴하려 한다고 말한다. 그래서 그는 "지체와 문벌이 드러나고 재주와 명망이 뛰어난 자가 겨우 수백 꾸러미의 돈에 빠져서 관직을 박탈당하고 귀양가서 오랜 기간 쓰이지 않는 경우가 수두룩하다."라고 날카롭게 지적했던 것이다.

> "청렴은 천하의 큰 장사이다. 이런 까닭에 크게 욕심내는 자는 반드시 청렴하려고 한다. 사람이 청렴하지 않게 되는 까닭은 그 지혜가 부족하기 때문이다."
>
> 『목민심서』, 율기(律己)편, 청심(淸心)조

『고등학교 고전과 윤리』

<다>

개인들이 모여서 집단을 형성하면 집단에서는 개인의 개별 속성과는 구별되는 집단만의 독특한 현상이 일어난다. 이를테면 갑, 을, 병이라는 세 사람이 집단을 이루면 갑, 을, 병의 개별적 속성과는 전혀 별개의 집단만의 어떤 것이 생긴다. 세 사람 사이에 지배와 피지배와 같은 힘의 관계가 나타나거나 차등적인 지위 구조가 생겨나거나 서로 대립하고 갈등하거나 또는 서로 좋아하고 끌린다. 또한 시간이 지나면서 세 사람 사이의 관계와 상호작용을 규제하는 규범이나 구조가 생성되고, 그것을 변경시키려는 또는 지속시키려는 알력이나 협동관계가 만들어진다. 이러한 현상들은 집단을 구성하는 세 사람의 개별적인 속성과는 별개의 집단만의 고유한 것들이 표출된 것이다.

『고등학교 사회·문화』

<라>

㉠'부정 청탁 및 금품 등 수수의 금지에 관한 법률', 이른바 청탁 금지법은 공직자와 언론사, 사립 학교 임직원, 사학 재단 이사진 등이 부정한 청탁을 받고도 신고하지 않거나, 직무 관련이나 대가성에 상관없이 금품이나 향응을 받으면 형사 처분을 하도록 규정하고 있다. 공직자들의 비리가 문제가 될 때마다 대가성과 직무 관련성의 근거가 없다는 이유로 잇달아 무죄가 선고되자, 대가성이 확인되지 않더라도 금품을 받으면 처벌해야 한다는 여론이 높아졌다. 이에 2011년 당시 김영란 국민권익위원장이 「공정한 사회 구현, 국민과 함께 하는 청렴 확산 방안」을 보고하여 처음 제안하였고, 찬반 논란을 불러일으킨 끝에 2016년 9월 28일에 발효되었다.

『고등학교 생활과 윤리』

계 열
인 문 계 열

지 원 학 과

성 명

수 험 번 호

생년월일(예:041123)

유 의 사 항
1. 답안지는 **흑색** 으로 원고지 사용법에 따라 작성하여야 합니다.
2. 수험번호와 생년월일을 숫자로 쓰고 컴퓨터용 사인펜으로 ● 표기하여야 합니다.
3. **답안의 작성영역**을 벗어나지 않도록 각별히 유의 바라며, 인적사항 및 답안과 관계없는 표기를 하는 경우 **결격처리** 될 수 있습니다.

※ 감독관 확인란

【1번】 답안 **(반드시 해당 문제와 일치하여야 함)**

40

80

120

160

200

240

280

320

360

400

440

이 줄 아래에 답안을 작성하거나 낙서할 경우 판독이 불가능하여 채점 불가

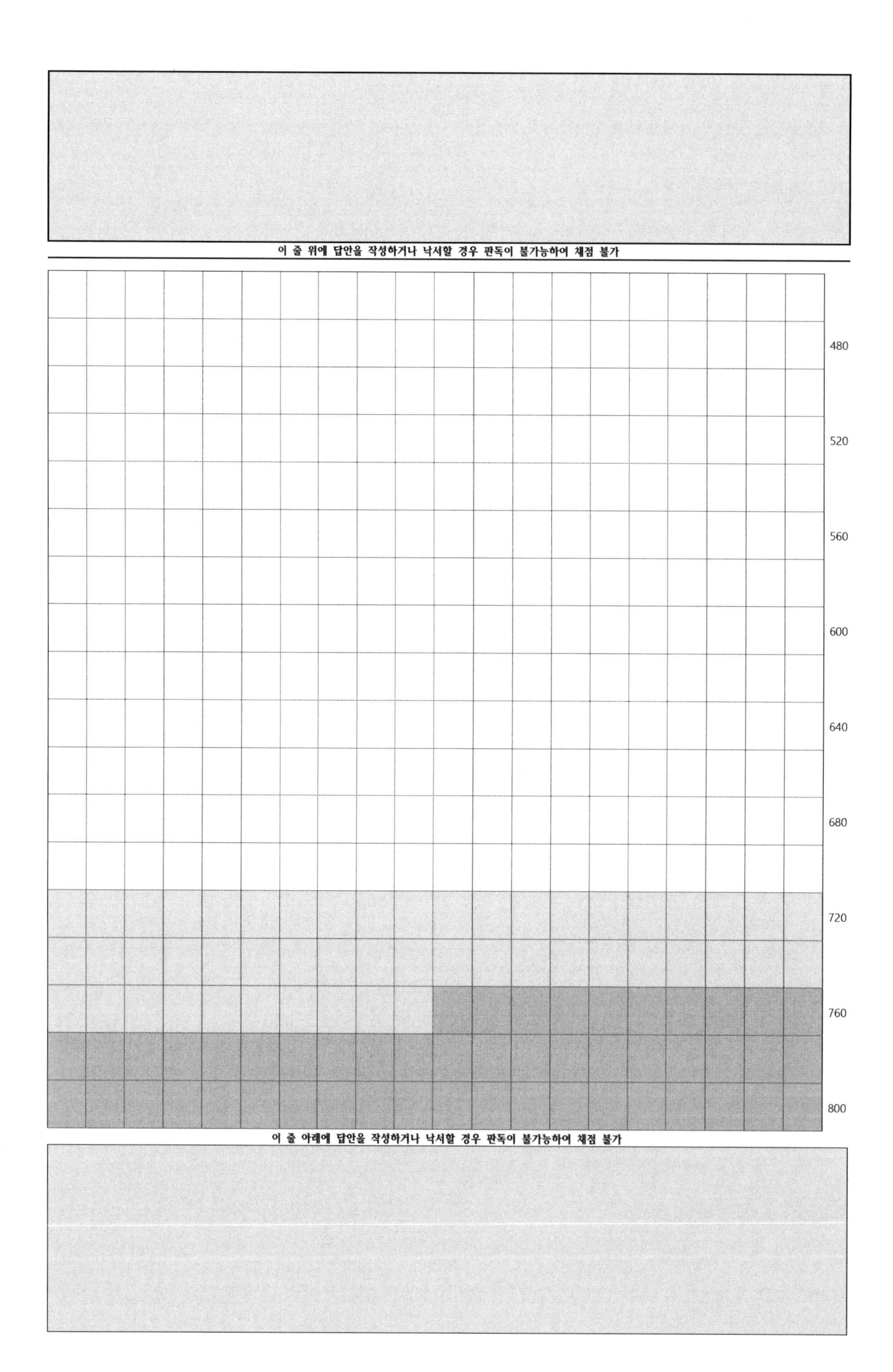
이 줄 위에 답안을 작성하거나 낙서할 경우 판독이 불가능하여 채점 불가
480
520
560
600
640
680
720
760
800
이 줄 아래에 답안을 작성하거나 낙서할 경우 판독이 불가능하여 채점 불가

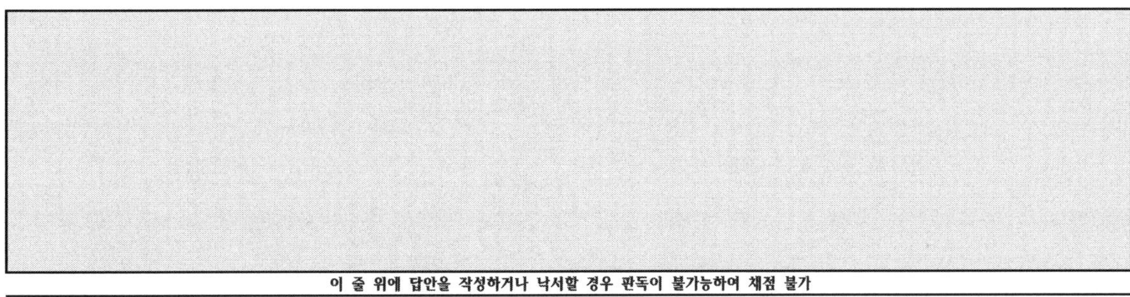

이 줄 위에 답안을 작성하거나 낙서할 경우 판독이 불가능하여 채점 불가

【2번】 답안 (반드시 해당 문제와 일치하여야 함)

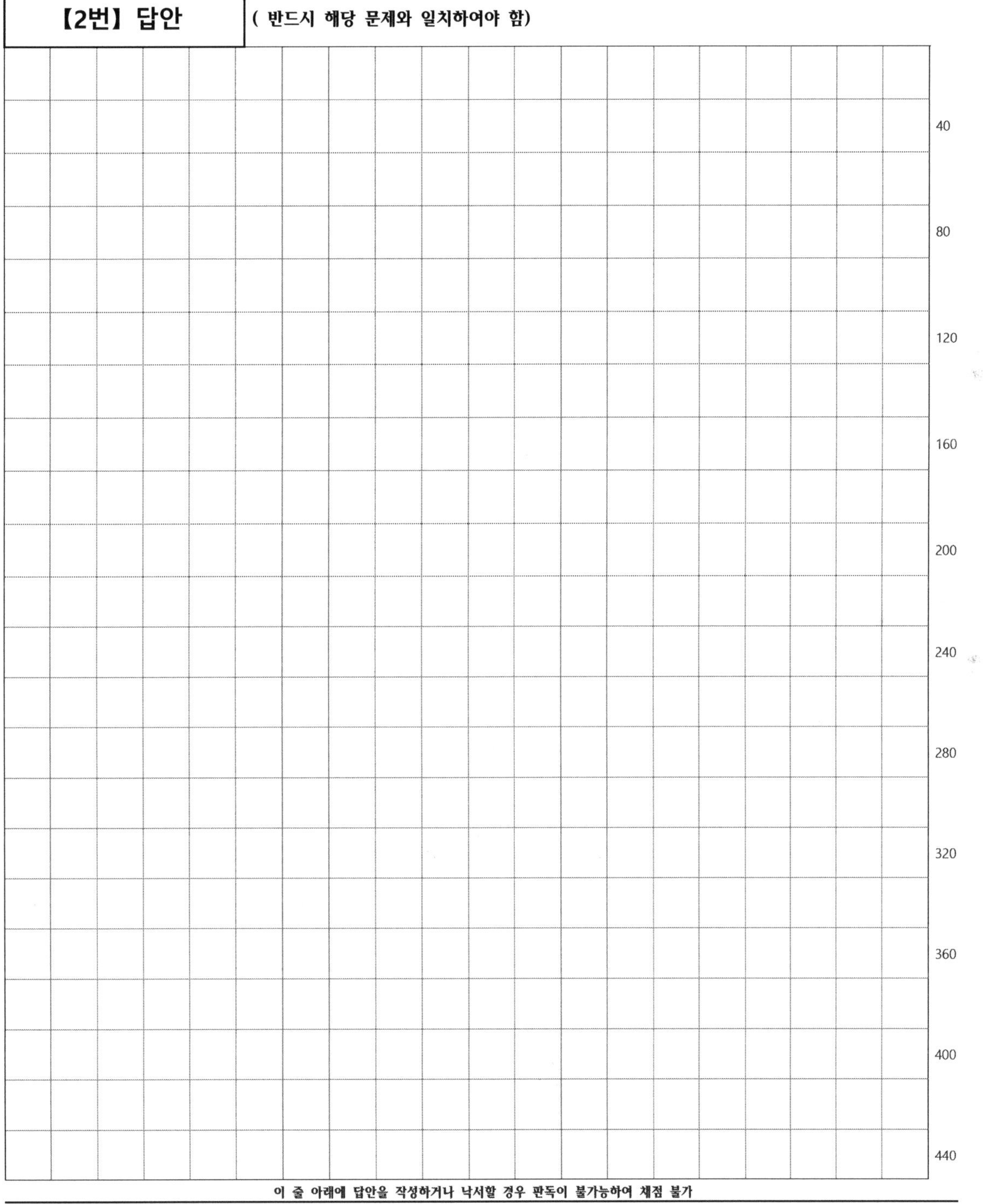

이 줄 아래에 답안을 작성하거나 낙서할 경우 판독이 불가능하여 채점 불가

이 줄 위에 답안을 작성하거나 낙서할 경우 판독이 불가능하여 채점 불가

480
520
560
600
640
680
720
760
800

이 줄 아래에 답안을 작성하거나 낙서할 경우 판독이 불가능하여 채점 불가

3. 2024학년도 경기대 수시 논술 B형

[문항 1] <가>의 ㉠과 <나>의 ㉡이 공통적으로 가지는 의미를 서술하고, <나>의 ㉢을 참고하여 <다>의 '권 씨'의 행동을 평가하시오. (700 ± 50자)

<가>

차심이라는 말 있지
찻잔을 닦지 않아 물이끼가 끼었나 했더니
차심으로 찻잔을 길들이는 거라 했지
가마 속에서 흙과 유약이 다툴 때 그릇에 ㉠**잔금**이 생겨요
뜨거운 찻물이 금 속을 파고들어 가
그릇 색이 점점 바뀌는 겁니다
차심 박힌 그릇의 금은 병균도 막아 주고
그릇을 더 단단하게 조여준다고……
불가마 속의 고통을 다스리는 차심,
그게 차의 마음이라는 말처럼 들렸지
수백 년 동안 대를 이은 잔에선
차심만 우려도 차맛이 난다는데
갈라진 너와 나 사이에도 그런 빛깔을 우릴 수 있다면
아픈 금 속으로 찻물을 내리면서
금마저 몸의 일부인 양

손택수, <차심>, 『고등학교 문학』

<나>

비자반(榧子盤)* 일등품 위에 또 한층 뛰어 특급품이란 것이 있다. 용재며, 치수며, 연륜이며 어느 점이 일급과 다르다는 것은 아닌데, 반면(盤面)에 머리카락 같은 가느다란 ㉡**흉터**가 보이면 이게 특급이다. [중략]

반면이 갈라진다는 것은 기약치 않은 불측의 사고이다. 사고란 어느 때, 어느 경우에도 별로 환영할 것이 못 된다. 그 균열의 성질 여하에 따라서는 일급품 바둑판이 목침감으로 전락해 버릴 수도 있다. 그러나 그렇게 큰 균열이 아니고 회생할 여지가 있을 정도라면 헝겊으로 싸고 뚜껑을 덮어서 조심스럽게 간수해 둔다. (갈라진 균열 사이로 먼지나 티가 들어가지 않도록 하는 단속이다.)

일 년, 이태, 때로는 삼 년까지 그냥 내버려 둔다. 계절이 바뀌고 추위, 더위가 여러 차례 순환한다. 그동안에 상처 났던 바둑판은 제힘으로 제 상처를 고쳐서 본디대로 유착(癒着)해 버리고, 균열 진 자리에 머리카락 같은 흔적만이 남는다.

비자의 생명은 유연성이란 특질에 있다. 한번 균열이 생겼다가 제힘으로 도로 유착, 결합했다는 것은 그 유연성이란 특질을 실지로 증명해 보인, 이를테면 졸업 증서이다. 하마터면 목침감이 될 뻔한 것이, 그 치명적인 시련을 이겨 내면 도리어 한 급이 올라 '특급품'이 되어 버린다. 재미가 깨를 볶는 이야기다.

더 부연할 필요도 없거니와, 나는 이것을 '인생의 과실(過失)'과 결부해서 생각해 본다. 언제나 어디서나 과실을 범할 수 있다는 가능성 — 그 가능성을 매양 꽁무니에다 달고 다니는 것이 그것이 인간이다.

*비자반: 비자나무로 만든 바둑판.

과실에 대해서 관대해야 할 까닭은 없다. 과실은 예찬(禮讚)하거나 장려할 것이 못 된다.

그러나 어느 누구가 '나는 절대로 과실을 범치 않는다.'라고 양언(揚言)할 것이냐? 공인된 어느 인격, 어떤 학식, 지위에서도 그것을 보장할 근거는 찾아내지 못한다. [중략]

ⓒ 과실은 예찬할 것이 아니요, 장려할 노릇도 못 된다. 그러나 그와 동시에 과실이 인생의 '올 마이너스'일 까닭도 없다.

과실로 해서 더 커 가고 깊어 가는 인격이 있다.

과실로 해서 더 정화(淨化)되고 굳세어지는 사랑이 있다. 생활이 있다.

누구나 할 수 있는 일은 아니다. 어느 과실에도 적용된다는 것은 아니다. 제 과실, 제 상처를 제힘으로 다스릴 수 있는 '비자반'의 탄력 — 그 탄력만이 '과실'을 효용한다.

인생이 바둑판만도 못하다고 해서야 될 말인가?

김소운, <특급품>, 『고등학교 문학』

<다>

앞부분 줄거리: '나'의 집 문간방에 세 들어 사는 '권 씨'는 특별한 직업이 없는 빈궁한 살림에서도 자신의 구두만큼은 소중히 아낀다. 어느 날 임신한 아내의 수술 비용을 마련할 수 없었던 '권 씨'는 집주인인 내게 돈을 빌리려다 거절을 당한다. 우연히도 그날 밤 나의 집에는 강도가 드는데, 나는 그 강도가 '권 씨'임을 알게 된다.

나는 강도를 안심시켜 편안한 맘으로 돌아가게 만들 절호의 기회라고 판단했다.

"그 피치 못할 사정이란 게 대개 그렇습니다. 가령 식구 중에 누군가가 몹시 아프다든가 빚에 몰려서……. [중략] 어렵다고 꼭 외로우란 법은 없어요. 혹 누가 압니까, 당신도 모르는 사이에 당신을 아끼는 어떤 이웃이 당신의 어려움을 덜어 주었을지?"

"개수작 마! 그따위 이웃은 없다는 걸 난 똑똑히 봤어! 난 이제 아무도 안 믿어!"

그는 현관에 벗어 놓은 구두를 신고 있었다. 그 구두를 보기 위해 전등을 켜고 싶은 충동이 불현듯 일었으나 나는 꾹 눌러 참았다. 현관문을 열고 마당으로 내려선 다음 부주의하게도 그는 식칼을 들고 왔던 자기 본분을 망각하고 엉겁결에 문간방으로 들어가려 했다. 그의 실수를 지적하는 일은 훗날을 위해 나로서는 부득이한 조치였다.

"대문은 저쪽입니다."

문간방 부엌 앞에서 한동안 망연해 있다가 이윽고 그는 대문 쪽을 향해 느릿느릿 걷기 시작했다. 비틀비틀 걷기 시작했다. 대문에 다다르자 그는 상체를 뒤틀어 이쪽을 보았다.

"이래 봬도 나 대학까지 나온 사람이오."
누가 뭐라고 그랬나? 느닷없이 그는 자기 학력을 밝히더니만 대문을 열고는 보안등 하나 없는 칠흑의 어둠 저편으로 자진해서 삼켜져 버렸다. [중략]
이튿날 아침까지 권 씨는 귀가해 있지 않았다. 출근하는 길에 병원에 들러 보았다. 수술 보증금을 구하러 병원 문밖을 나선 이후로 권 씨가 거기에 재차 발걸음한 흔적은 어디에서도 찾아볼 수 없었다. 그다음 날, 그 다음다음 날도 권 씨는 귀가하지 않았다. 그가 행방불명이 된 것이 이제 분명해졌다.
윤흥길, <아홉 켤레의 구두로 남은 사내>, 『고등학교 국어』

[문항 2] <가>의 전통을 바라보는 관점을 <나>와 <다>를 활용하여 평가하고, 이와 관련하여 <라>의 내용이 경계하는 바가 무엇인지 서술하시오. (700 ± 50자)

<가>

옳은 방법이란 우리 선조들이 사용했고, 지금은 우리에게 전승된 방법이다. 전통은 그러한 방법에 대한 일종의 보증서와 같으므로 경험으로 증명해야 할 필요는 없다. '옳음에 대한 관념'은 관습적인 것이라서 관습을 벗어나서는 존재하지 않으며, 독립적인 기원이 있는 것도 아니고 진위를 판단받지도 않는다. 관습적인 것은 그것이 무엇이든지 간에 옳다. 왜냐하면 관습적이라는 것은 전통적인 것이며, 따라서 그 자체에 조상으로부터 내려온 권위가 포함되어 있기 때문이다. 관습은 분석의 대상이 될 수 없다.

『고등학교 생활과 윤리』

<나>

과거 우리 조상들은 식사를 마치고 가마솥에서 떠낸 뜨끈한 숭늉 한 사발로 식사를 마무리하였다. 요즘에도 간혹 식당에서 돌솥 밥을 퍼내고 난 후 돌솥 바닥에 붙은 누룽지에 뜨거운 물을 부어 놓았다가 먹는 숭늉을 볼 수 있다. 그렇다면 한국인은 언제부터 숭늉을 즐기게 되었을까?

한국인이 숭늉을 만들어 먹기 시작한 것은 우리의 전통 난방 방식인 온돌 시설이 널리 퍼지기 시작한 고려 시대부터일 것으로 추측하고 있다. 왜냐하면 온돌이 생긴 뒤에 부뚜막이 만들어졌고, 부뚜막에 가마솥을 걸어 고정시키면서 가마솥 바닥에 붙은 누룽지를 깨끗이 씻기 위해 물을 붓고 끓이다가 숭늉을 마셨을 가능성이 높기 때문이다. 이후 조선 시대에는 숭유억불(崇儒抑佛) 정책 때문에 사찰을 중심으로 발달하였던 차(茶) 문화가 쇠퇴하면서 사람들이 숭늉을 더 마시게 되었다.

『고등학교 통합사회』

<다>

오늘날과 같은 디자인의 한복은 약 120여 년 전에 등장하였다. 한복의 마고자는 19세기 후반 흥선대원군이 청에 볼모로 잡혀갔다가 귀국할 때 입고 들여온 만주족의 마괘아를 한복에 어울리게 개량하면서 널리 입게 된 것이다. 그리고 한복 저고리 위에 입는 조끼는 1876년 강화도 조약 체결 이후 조선 사회에 서구 문물이 도입될 당시 주머니가 없는 전통 한복의 불편함을 개선하기 위해 서양의 베스트(vest)를 차용하여 한복에 맞게 만들어 입기 시작하였다.

『고등학교 통합사회』

<라>

옛날 연나라의 수도인 수릉에 한 젊은이가 살았다. 연나라는 작은 나라였다. 그 젊은이는 보잘것없는 작은 나라에 사는 자신의 처지를 한탄하며 큰 나라인 조나라를 동

<마고자>

<조끼>

경하였다. 젊은이는 조나라에 한 번이라도 가서 그곳의 훌륭한 문물을 보아야겠다고 결심하기에 이르렀다. 어느 날 그는 드디어 조나라의 수도인 한단에 가게 되었다. 그런 데 그곳 사람들의 걸음걸이가 수릉 사람들의 걸음걸이와 다른 것을 보고 자신의 걸음걸이를 무척 부끄러워했다. 젊은이는 열심히 한단 사람들의 걷는 법을 흉내 냈다. 그러나 한단의 걸음걸이를 완전히 배우기도 전에 여행 경비는 다 떨어져 버렸다. 이제는 고향으로 가는 수밖에 없었다. 하지만 수릉의 젊은이는 그만 옛날의 걸음걸이마저 잊어버리고 말았다. 걷는 법을 아예 다 잊은 그는 결국 기어서 고향으로 돌아왔다.

『고등학교 사회·문화』

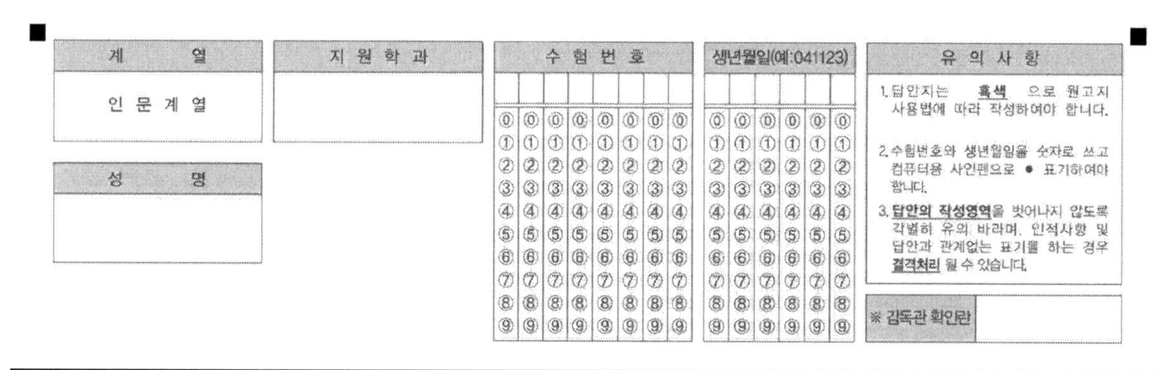
계 열

인 문 계 열

성 명

지 원 학 과

수 험 번 호

생년월일(예:041123)

유 의 사 항

1. 답안지는 **흑색** 으로 원고지 사용법에 따라 작성하여야 합니다.

2. 수험번호와 생년월일을 숫자로 쓰고 컴퓨터용 사인펜으로 ● 표기하여야 합니다.

3. **답안의 작성영역**을 벗어나지 않도록 각별히 유의 바라며, 인적사항 및 답안과 관계없는 표기를 하는 경우 **결격처리** 될 수 있습니다.

※ 감독관 확인란

【1번】 답안 (반드시 해당 문제와 일치하여야 함)

40

80

120

160

200

240

280

320

360

400

440

이 줄 아래에 답안을 작성하거나 낙서할 경우 판독이 불가능하여 채점 불가

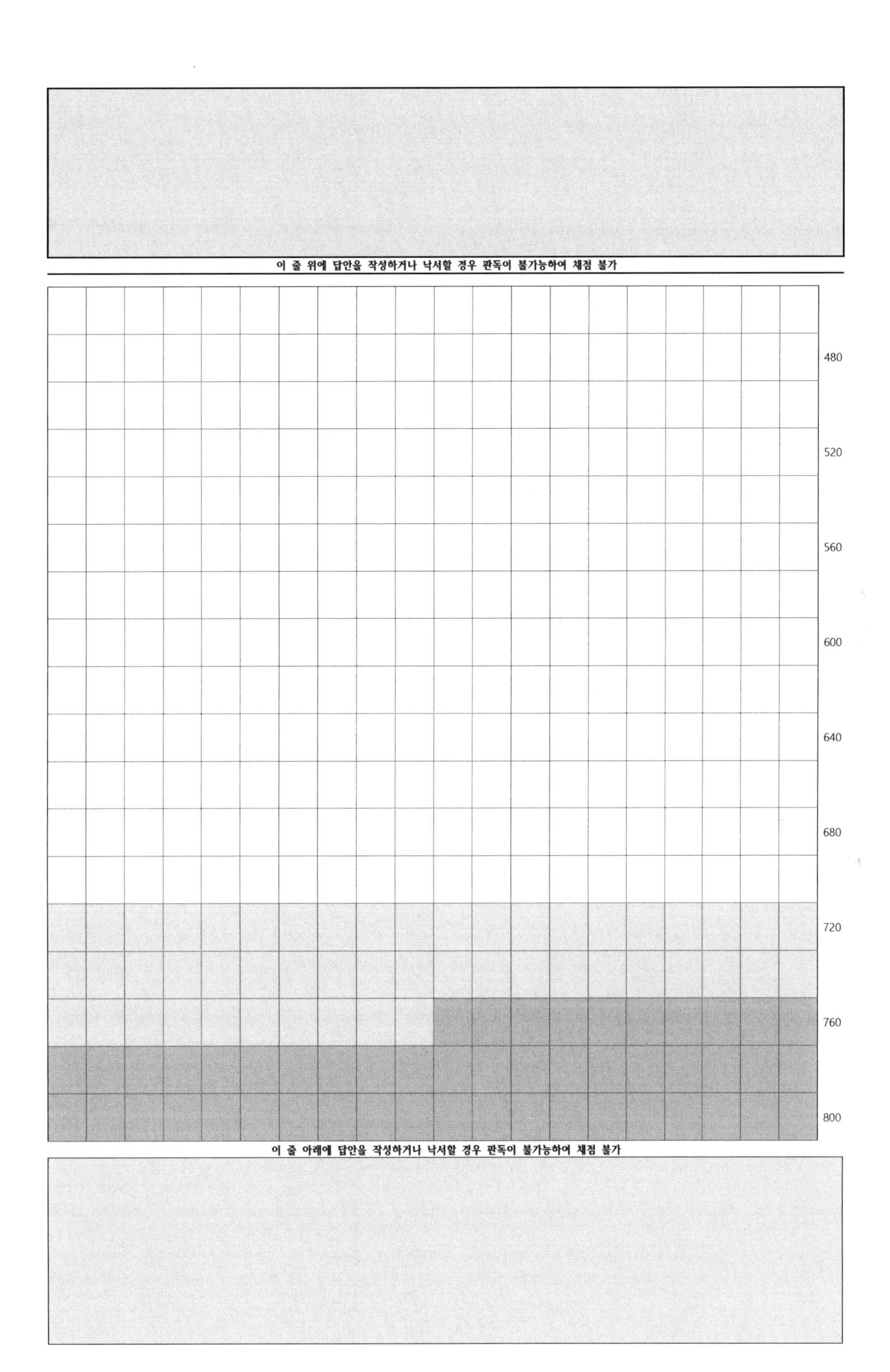
이 줄 위에 답안을 작성하거나 낙서할 경우 판독이 불가능하여 채점 불가
480
520
560
600
640
680
720
760
800
이 줄 아래에 답안을 작성하거나 낙서할 경우 판독이 불가능하여 채점 불가

이 줄 위에 답안을 작성하거나 낙서할 경우 판독이 불가능하여 채점 불가

【2번】 답안 (반드시 해당 문제와 일치하여야 함)

40

80

120

160

200

240

280

320

360

400

440

이 줄 아래에 답안을 작성하거나 낙서할 경우 판독이 불가능하여 채점 불가

이 줄 위에 답안을 작성하거나 낙서할 경우 판독이 불가능하여 채점 불가

480
520
560
600
640
680
720
760
800

이 줄 아래에 답안을 작성하거나 낙서할 경우 판독이 불가능하여 채점 불가

4. 2023학년도 경기대 수시 논술 A형

[문항 1] <가>와 <나>의 시에서 <다>의 '슬픔'의 정서가 문학적으로 어떻게 표현되고 있는지 각각 서술해 보시오. (700 ± 50자)

<가>

저게 저절로 붉어질 리는 없다
저 안에 태풍 몇 개
저 안에 천둥 몇 개
저 안에 벼락 몇 개
저 안에 번개 몇 개가 들어 있어서
붉게 익히는 것일 게다

저게 혼자서 둥글어질 리는 없다
저 안에 무서리 내리는 몇 밤
저 안에 땡볕 두어 달
저 안에 초승달 몇 날이 들어서서
둥글게 만드는 것일 게다

대추야
너는 세상과 통하였구나

장석주, <대추 한 알>, 『고등학교 독서』

<나>

생사(生死)의 길은
예 있으매 두려워
나는 간다는 말도
못다 이르고 어찌 갑니까.
어느 가을 이른 바람에
이에 저에 떨어지는 잎처럼,
한 가지에 나고
가는 곳 모르온저.
아아, 미타찰(彌陀刹)에서 만날 나
도(道) 닦아 기다리겠노라.

월명사, <제망매가>, 『고등학교 국어』

<다>

높은 시름이 있고 높은 슬픔이 있는 혼은 복된 것이 아니겠습니까. 진실로 인생을 사랑하고 생명을 아끼는 마음이라면 어떻게 슬프고 시름 차지 아니하겠습니까. 시인은 슬픈 사람입니다. 세상의 온갖 슬프지 않은 것에 슬퍼할 줄 아는 혼입니다. “외로운 것을 즐기는” 마음도, 세상 더러운 속중(俗衆)을 보고 “친구여!” 하고 부르는 것도,

“태양의 등진 거리를 다 떨어진 병정 구두를 끌고 휘파람을 불며 지나가는” 마음도 다 슬픈 정신입니다. 이렇게 진실로 슬픈 정신에게야 속된 세상에 가득 찬 근심과 수고가 그 무엇이겠습니까. 시인은 진실로 슬프고 근심스럽고 괴로운 탓에 이 가운데서 즐거움이 그 마음을 왕래하는 것입니다.

백석, <여수 박팔양 씨 시초 독후감>, 『고등학교 문학』

[문항 2] <가>와 <나>에 나타난 이동 현상의 차이를 다를 참고하여 해석해 보고 <나>의 현상을 <라>와 연관지어 설명하시오. (700 ± 50자)

<가>

대전시의 기존 중심지였던 대전역 주변은 1990년대 중반부터 주변 신도시 개발로 여러 공공 기관과 상점들이 빠져나가면서 슬럼화가 가속화되었고, 그 결과 건물이 노후화되면서 거주 환경이 열악해졌다. 이에 따라 도심의 인력 시장이나 인력 소개소, 전통 시장 등과 가까운 대전역 주변으로 도시에서 보증금 없이 일세나 월세를 내는 주거 빈곤층들이 이동하여 몰려들었다. 이 쪽방촌은 취사 시설이나 화장실 등 부대시설이 없는 3.3㎡ 내외의 쪽방으로 구성되어 있고, 겨우 두 사람이 지나갈 수 있는 비좁은 골목길 끝에 공동 화장실이 있다. 쪽방 거주민들은 겨울의 혹독한 추위도 견디기 어렵지만, 오히려 여름의 더위를 나는 것이 더 힘든 일이라고 한다. 창문이 없는 쪽방도 많은 데다가 밤에는 치안 걱정에 문도 마음껏 열 수 없어 불볕더위를 견디기 어렵기 때문이다.

『고등학교 통합사회』

<나>

다음 자료는 농촌에서 도시로의 인구이동으로 인한 지역별 노년층 인구 분포의 변화를 나타내고 있다.

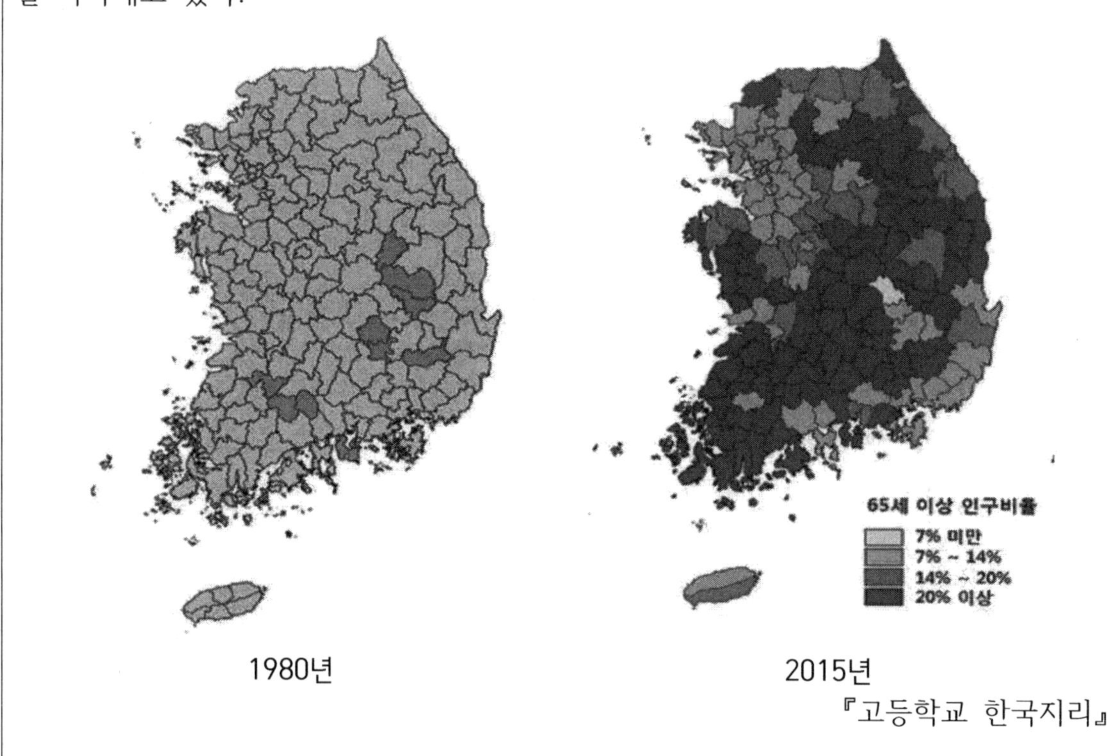

『고등학교 한국지리』

<다>

가계의 총지출 중에서 주거비가 차지하는 비중을 계산한 값을 '슈바베 지수(Schwabe Index)'라고 한다. 이 지수는 1868년 독일 통계학자 슈바베가 처음으로 소개한 개념으로, 주거 비용을 가계 소비지출로 나눈 값에다 100을 곱하여 산출한다. 이때 주거비에는 집세(전·월세 비용)뿐만 아니라 금융비용(주택 관련 대출 상환금, 세금, 보험료) 및 관리비용(주거 관련 서비스비, 연료비) 등도 포함된다. 일반적으로 발전된 지역일수록 주거비가 높은데, 슈바베 지수가 높을수록 주거비의 비중이 커진다는 의미이며, 특히 소득이 낮은 계층에게 그 부담은 더욱 크다.

『고등학교 경제』

<라>

지역 개발은 지역이 가진 잠재력을 최대한 개발하여 지역 주민의 삶의 질을 향상시키는 것이 목적이다. 지역 개발은 하향식 개발 방식과 상향식 개발 방식으로 나눌 수 있다. 성장 거점 개발 방식은 주로 중앙 정부가 주도하는 하향식 개발로 이루어지며, 성장 잠재력이 큰 지역에 투자를 집중하여 파급 효과를 노리고 효율성을 극대화할 수 있는 반면, 역류 효과가 나타나기도 한다. 일반적으로 경제적 기반이 취약한 개발 도상국들은 정부 주도로 하향식 지역 개발 전략을 채택한다.

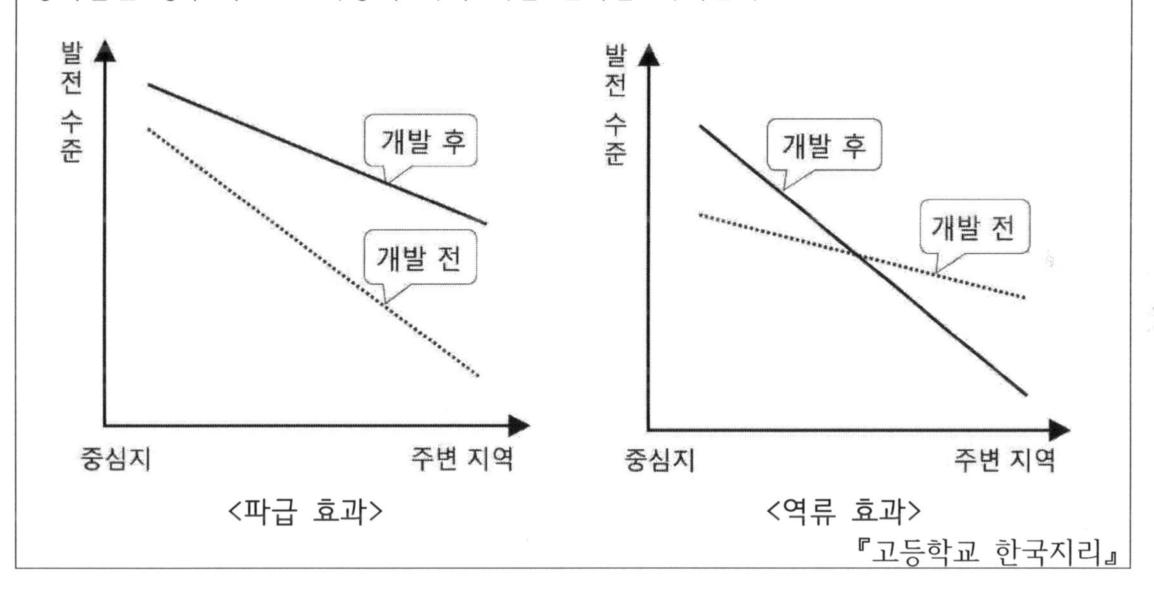

<파급 효과> <역류 효과>

『고등학교 한국지리』

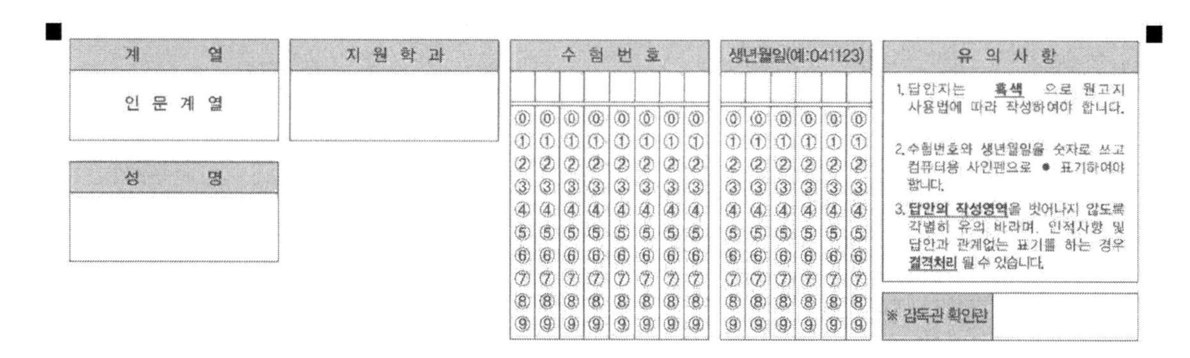

계열	지원학과	수험번호	생년월일(예:041123)
인문계열			

성명

유의사항

1. 답안지는 **흑색** 으로 원고지 사용법에 따라 작성하여야 합니다.
2. 수험번호와 생년월일을 숫자로 쓰고 컴퓨터용 사인펜으로 ● 표기하여야 합니다.
3. **답안의 작성영역**을 벗어나지 않도록 각별히 유의 바라며, 인적사항 및 답안과 관계없는 표기를 하는 경우 **결격처리** 될 수 있습니다.

※ 감독관 확인란

【1번】 답안 (반드시 해당 문제와 일치하여야 함)

40

80

120

160

200

240

280

320

360

400

440

이 줄 아래에 답안을 작성하거나 낙서할 경우 판독이 불가능하여 채점 불가

이 줄 위에 답안을 작성하거나 낙서할 경우 판독이 불가능하여 채점 불가

480

520

560

600

640

680

720

760

800

이 줄 아래에 답안을 작성하거나 낙서할 경우 판독이 불가능하여 채점 불가

이 줄 위에 답안을 작성하거나 낙서할 경우 판독이 불가능하여 채점 불가

【2번】 답안 (반드시 해당 문제와 일치하여야 함)

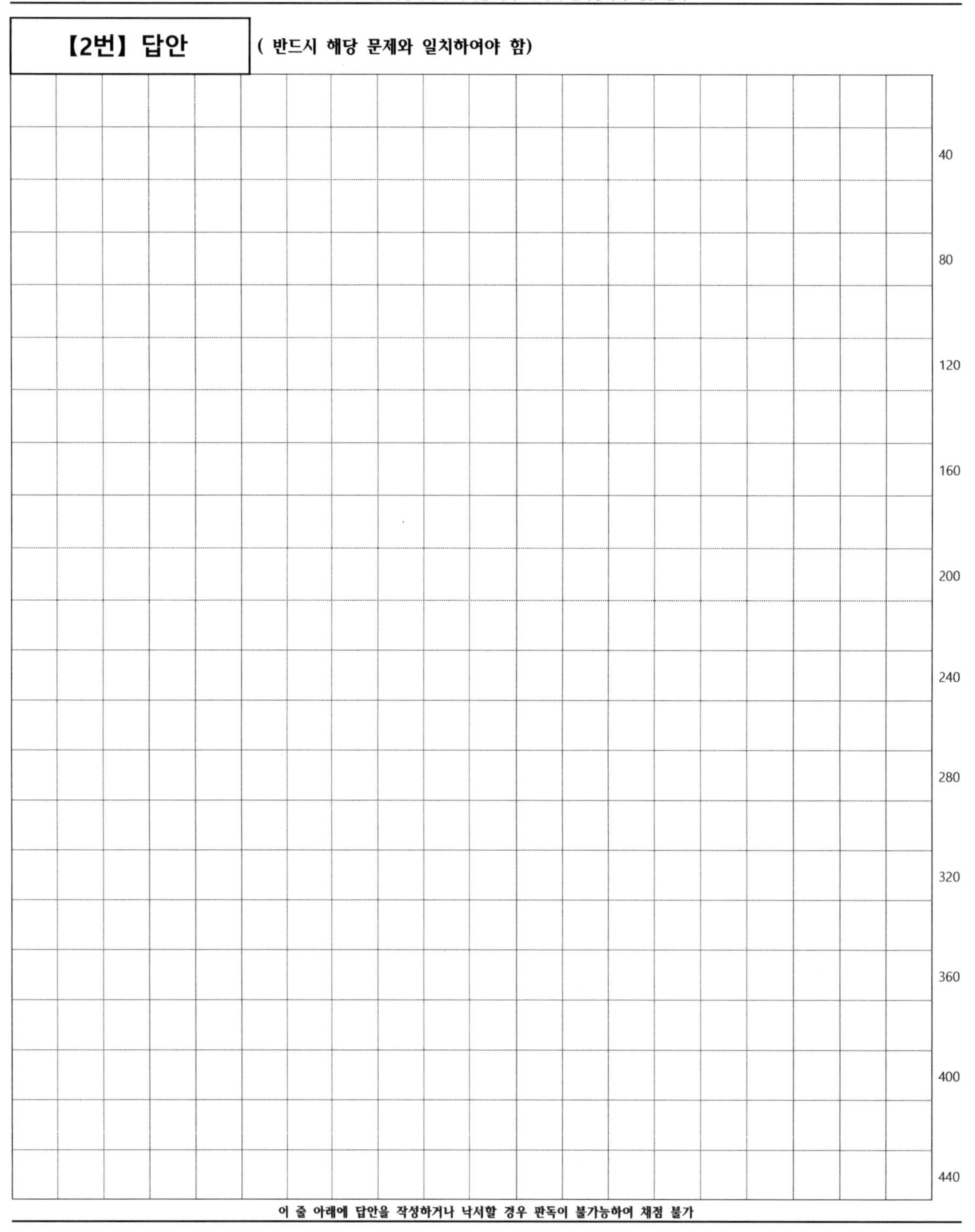

이 줄 아래에 답안을 작성하거나 낙서할 경우 판독이 불가능하여 채점 불가

이 줄 위에 답안을 작성하거나 낙서할 경우 판독이 불가능하여 채점 불가

480

520

560

600

640

680

720

760

800

이 줄 아래에 답안을 작성하거나 낙서할 경우 판독이 불가능하여 채점 불가

5. 2023학년도 경기대 수시 논술 B형

[문항 1] <가>와 <나>에서 묘사하고 있는 현실을 대조하여 설명하고, ㉠에서 표현되고 있는 화자의 갈망이 <나>에서 어떻게 나타나고 있는지 서술하시오. (700 ± 50자)

<가>

허공 속에 발이 푹푹 빠진다
허공에서 허우적 발을 빼며 걷지만
얼마나 힘 드는 일인가
기댈 무게가 없다는 것은
걸어온 만큼의 거리가 없다는 것은

그동안 나는 여러 번 넘어졌는지 모른다
지금은 쓰러져 있는지도 모른다
끊임없이 제자리만 맴돌고 있거나
인력(引力)에 끌려 어느 주위를 공전하고 있는지도 모른다

㉠ **발자국 발자국이 보고 싶다**
뒤꿈치에서 퉁겨 오르는
발걸음의 힘찬 울림을 듣고 싶다
내가 걸어온
길고 삐뚤삐뚤한 길이 보고 싶다

김기택, <우주인>, 『고등학교 국어』

<나>

【앞의 줄거리】 난쟁이 가족이 사는 낙원구 행복동에 철거 계고장이 배달되자 가난한 그들은 입주권을 팔고 이사해야 할 처지에 내몰린다. 인쇄 공장에서 일하던 나는 우연한 기회에 노비 문서를 조판하게 되고, 노비 매매 문서는 사라졌지만 가난은 세대를 통해 되물림된다는 사실을 깨닫는다.

어머니는 인쇄소 제본 공장에 나가 접지 일을 했다. 고무 골무를 끼고 인쇄물을 접었다. 나는 겁이 났다. 나는 인쇄소 공무부 조역으로 출발했다. 땀을 흘리지 않고는 아무 것도 얻을 수 없다는 것을 뒤늦게 알았다. 명희는 나를 만나 주지 않았다. 아주 쌀쌀했다. 영호와 영희도 몇 달 간격을 두고 학교를 그만두었다. 마음이 차라리 편해졌다. 우리를 해치는 사람은 없었다. 우리는 보이지 않는 보호를 받고 있었다. 남아프리카의 어느 원주민들이 일정한 보호 구역 안에서 보호를 받듯이 우리도 이질 집단으로서 보호를 받았다. 나는 우리가 이 구역 안에서 한 걸음도 밖으로 나갈 수 없다는 것을 깨달았다. 나는 조역, 공목, 약물, 해판의 과정을 거쳐 정판에서 일했다. 영호는 인쇄에서 일했다. 나는 우리가 한 공장에서 일하는 것이 싫었다. 영호도 마찬가지였

다. 그래서 영호는 먼저 철공소 조수로 들어가 잔심부름을 했다. 가구 공장에서도 일했다. 그 공장에 가 일하는 영호를 보았다. 뽀얀 톱밥 먼지와 소음 속에 서 있는 작은 영호를 보고 나는 그만두라고 했다. 인쇄 공장의 소음도 무서운 것이었으나 그곳에는 톱밥 먼지가 없었다.

우리는 죽어라 하고 일했다. 우리의 팔목은 공장 안에서 굵어갔다. 영희는 그때 큰길가 슈퍼마켓 한쪽에 자리잡은 빵집에서 일했다. 우리가 고맙게 생각한 것은 환경이 깨끗하다는 것 하나뿐이었다. 영희는 하늘색 빵집 제복을 입고 일했다. 영호와 나는 유리창 밖에서 영희가 일하는 것을 보았다. 영희는 예뻤다. 사람들은 영희가 난쟁이의 딸이라는 것을 믿지 않으려고 했다. 우리는 무슨 일이 있든 공부를 해야 한다고 생각했다. 공부를 하지 않고는 우리 구역에서 벗어날 수가 없다고 생각했다. 세상은 공부를 한 자와 못 한 자로 너무나 엄격하게 나누어져 있었다. 끔찍할 정도로 미개한 사회였다. 우리가 학교 안에서 배운 것과는 정반대로 움직였다.
(중략)
줄 끊어진 기타를 영희는 쳤다. 나는 아버지가 무슨 생각을 하고 있는지 알 수 없었다. 『일만 년 후의 세계』라는 책을 아버지는 개천 건너 주택가에 사는 젊은이에게서 빌렸다. 그의 이름은 지섭이었다. 지섭은 그 집 가정교사였다. 아버지와 그는 서로 통하는 데가 있었다. 지섭이 하는 말을 나는 들었었다. 그는 이 땅에서 우리가 기대할 것은 없다고 말했다.
“왜?” 아버지가 물었다. 지섭은 말했다. “사람들은 사랑이 없는 욕망만 갖고 있습니다. 그래서 단 한 사람도 남을 위해 눈물을 흘릴 줄 모릅니다. 이런 사람들만 사는 땅은 죽은 땅입니다.”
“하긴!”
“아저씨는 평생 동안 아무 일도 안 하셨습니까?”
“일을 안 하다니? 일을 했지. 열심히 했어. 우리 식구 모두가 열심히 일했네.”
“그럼 무슨 나쁜 짓을 하신 적은 없으십니까? 법을 어긴 적 없으세요?”
“없어.”
“그렇다면 기도를 드리지 않으셨습니다. 간절한 마음으로 기도를 드리지 않으셨어요.”
“기도도 올렸지.”
“그런데, 이게 뭡니까? 뭐가 잘못된 게 분명하죠? 불공평하지 않으세요? 이제 이 죽은 땅을 떠나야 됩니다.”
“떠나다니? 어디로?”
“달나라로!”
“얘들아!”
어머니의 불안한 음성이 높아졌다. 나는 책장을 덮고 밖으로 뛰어나갔다. 영호와 영희는 엉뚱한 곳을 찾아 헤매고 있었다. 나는 방죽가로 나가 곧장 하늘을 쳐다보았다.

벽돌 공장의 높은 굴뚝이 눈앞으로 다가왔다. 그 맨 꼭대기에 아버지가 서 있었다. 바로 한 걸음 정도 앞에 달이 걸려 있었다. 아버지는 피뢰침을 잡고 발을 앞으로 내밀었다. 그 자세로 아버지는 종이비행기를 날렸다. (중략)

지섭의 책에 아버지의 손때가 까맣게 묻었다. 아버지와 지섭은 우리에게 대기권 밖을 날아다니는 사람들로 보였다. 두 사람은 하루에도 몇 번씩 달을 왕복했다.

"살기가 너무 힘들다." 아버지가 말했었다. "그래서 달에 가 천문대 일을 보기로 했다. 내가 할 일은 망원 렌즈를 지키는 일야. 달에는 먼지가 없기 때문에 렌즈 소제 같은 것도 할 필요가 없지. 그래도 렌즈를 지켜야 할 사람은 필요하다."

"아버지, 도대체 그런 일이 가능할 것 같아요?" 내가 말했다.

"넌 이때까지 뭘 배웠니?" 아버지가 말했다.

"뉴턴이 그 중요한 법칙을 발표하고 삼 세기가 지났어. 너도 그걸 배웠지? 초등학교 때부터 배웠어. 그런데 우주에 관한 기본 법칙을 전혀 모르는 사람처럼 말하는구나."

"그런데 누가 아버지를 달에 모시고 가겠대요?"

"지섭이 미국 휴스턴에 있는 존슨 우주 센터에 편지를 냈다. 그곳 관리인 로스씨가 답장을 보내올 거야. 후년에 우주 계획 전문가들과 함께 달에 가게 될 거다."

"그 책을 돌려주세요." 내가 말했다.

"그리고, 그 사람 말을 믿지 마세요. 그는 미쳤어요."

"이 책의 사진을 봐라. 이 사람은 프란시스 베이컨이고, 이 사람은 로버트 고다드다. 당시 사람들이 미치광이로 지목했던 인물들이야. 이 미친 사람들이 어떤 업적을 남겼는지 아니?"

"몰라요."

"넌 학교에서 죽은 교육을 받았어."

조세희, <난쟁이가 쏘아올린 작은 공>, 『고등학교 문학』

[문항 2] <나>의 ⓒ의 관점에서 <가>의 ㉠을 비판하고, <다>의 역사적 사건들이 갖는 의의를 통해 <가>의 ㉡을 지지해 보시오. (700 ± 50자)

<가>

사티(sati, suttee)는 남편이 죽고 나서 화장할 때 아내를 산 채로 함께 화장하는 힌두교의 옛 풍습이다. 가장 오래된 사례는 기원후 510년에 행해진 것으로 추정되며, 1829년에 금지령이 내려지면서 점점 줄어들었다. 그런데 1987년에도 18세의 한 여성이 사티에 희생당한 사건이 있었다. 일부 힌두교도들이 사티를 지지하는 이유는, 그것이 **㉠힌두 사회의 전통 가치를 수호하는 방법이라 믿기 때문이다.** 이들은 힌두교의 전통을 위해서, 사티처럼 여성이 희생하는 미풍양속은 지켜져야 하며, 이를 위해서라면 자살이나 테러, 전쟁까지도 감행할 수 있다고 여긴다. **㉡모든 사람들에게는 누구도 빼앗거나 무시할 수 없는, 인간으로서 누려야 할 보편적 권리가 있다는 신념**마저 힌두교의 전통을 위해서라면 중요하지 않다고 믿는 것이다.

『고등학교 통합사회』

<나>

ⓒ전통은 전통적이지 않다. 지극히 현대적이다. 역사로서의 전통의 의미와 관련하여 영국의 문화 이론가인 윌리엄스(Williams, R.)는 '선별된 전통(selective tradition)'이라는 개념을, 또한 영국의 역사학자인 홉스봄(Hobsbawm, E.)은 '전통의 발명(invention of tradition)'이라는 개념을 제시하였다.

『고등학교 통합사회』

<다>

(1) 1789년 프랑스의 루이 16세는 계속된 전쟁과 왕실의 사치로 발생한 재정 문제를 해결하기 위해 삼부회를 소집하였다. 여기서 제3 신분인 평민은 신분별 표결이 아닌 머릿수 표결과 자신들의 대표 수 증가를 요구하였다. 이것이 받아들여지지 않자 제3 신분은 독자적으로 국민 의회를 구성하고, '테니스 코트의 서약'을 통해 단결을 공고히 하였다. 한편, 왕실이 국민의회를 탄압할 조짐이 보이자, 파리 시민들은 바스티유 감옥을 습격하였다. 혁명의 불길은 점차 전국으로 확산하여 갔다. 국민 의회는 각종 개혁 조치를 통해 민심을 달래는 한편, '인권선언'을 발표하여 혁명의 기본 원칙을 제시하였다.

『고등학교 세계사』

(2) 인류는 두 차례 세계 대전을 겪으며 전쟁으로 많은 사람이 목숨을 잃고 재산상의 피해를 입는 등 인간의 존엄성이 위협받는 상황을 경험하였다. 제2차 세계 대전은 희생자가 약 5,500만 명에 이를 정도로 역사상 가장 피해가 큰 전쟁이었다. 특히 인종 대학살, 폭격기에 의한 무차별 공습, 여성 인권 유린 등이 나타나면서 민간인 희생자도 많았다. 이후 인류의 인권 보장을 위해 1948년 국제 연합(UN) 총회에서 만장

일치로 '세계 인권 선언'을 채택하였다. 이 문서에는 인간의 자유, 평등에 관한 기본적 권리 외에도 사회적·문화적 권리 등이 명시되어 있다.

『고등학교 통합사회』

계 열	지 원 학 과	수 험 번 호	생년월일(예:041123)	유 의 사 항
인 문 계 열		⓪①②③④⑤⑥⑦⑧⑨	⓪①②③④⑤⑥⑦⑧⑨	1. 답안지는 **흑색** 으로 원고지 사용법에 따라 작성하여야 합니다. 2. 수험번호와 생년월일을 숫자로 쓰고 컴퓨터용 사인펜으로 ● 표기하여야 합니다. 3. **답안의 작성영역**을 벗어나지 않도록 각별히 유의 바라며, 인적사항 및 답안과 관계없는 표기를 하는 경우 **결격처리** 될 수 있습니다.

성 명

※ 감독관 확인란

【1번】 답안 (반드시 해당 문제와 일치하여야 함)

40

80

120

160

200

240

280

320

360

400

440

이 줄 아래에 답안을 작성하거나 낙서할 경우 판독이 불가능하여 채점 불가

이 줄 위에 답안을 작성하거나 낙서할 경우 판독이 불가능하여 채점 불가

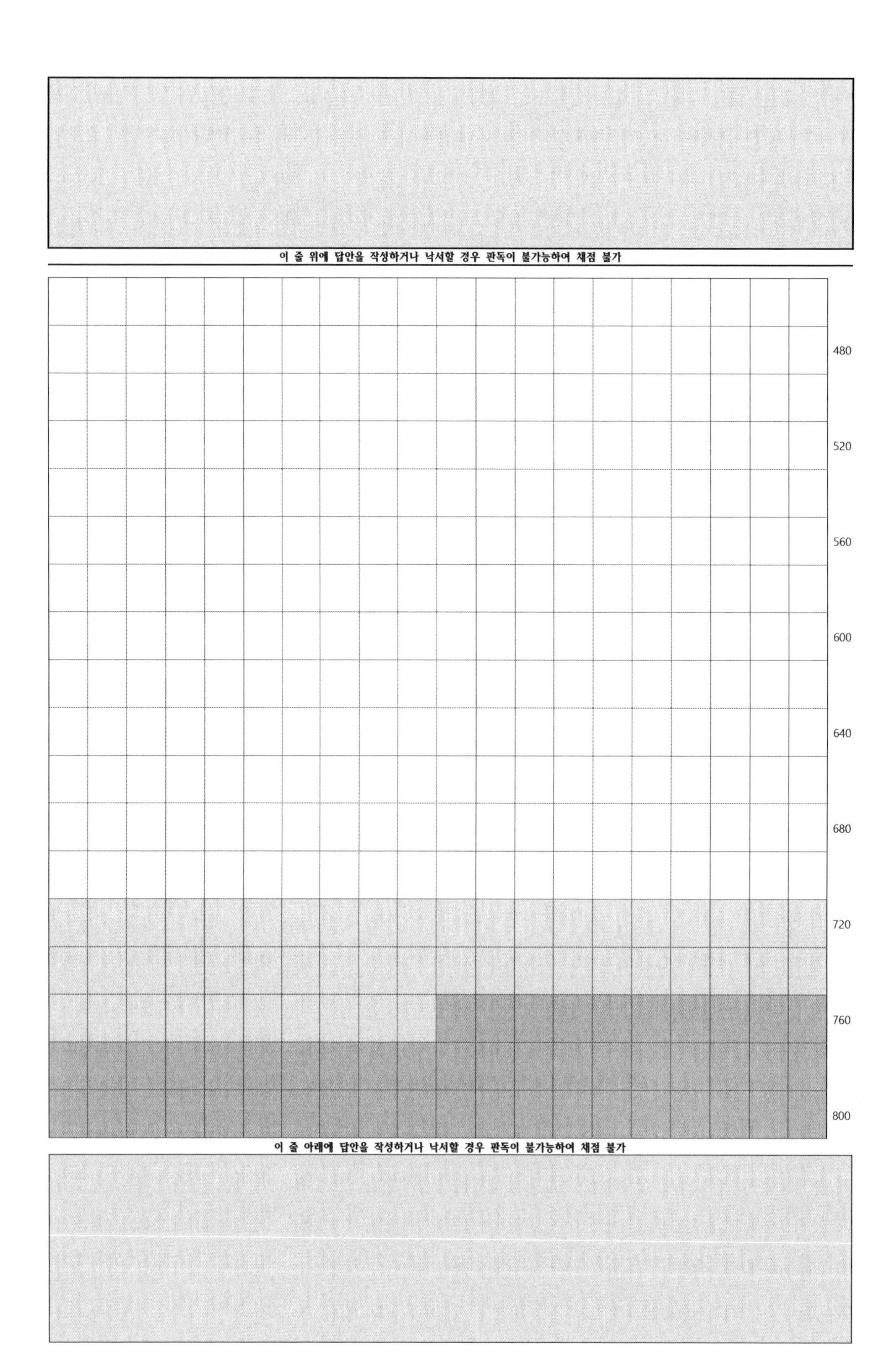

이 줄 아래에 답안을 작성하거나 낙서할 경우 판독이 불가능하여 채점 불가

이 줄 위에 답안을 작성하거나 낙서할 경우 판독이 불가능하여 채점 불가

【2번】 답안 (반드시 해당 문제와 일치하여야 함)

40

80

120

160

200

240

280

320

360

400

440

이 줄 아래에 답안을 작성하거나 낙서할 경우 판독이 불가능하여 채점 불가

이 줄 위에 답안을 작성하거나 낙서할 경우 판독이 불가능하여 채점 불가

480

520

560

600

640

680

720

760

800

이 줄 아래에 답안을 작성하거나 낙서할 경우 판독이 불가능하여 채점 불가

6. 2023학년도 경기대 모의 논술

[문항 1] <가>의 소설에서 보이는 '공장 사람들'의 태도를 <나>의 글쓴이의 관점에서 비판하고, 대립하는 두 입장에 대하여 <다>의 ㉠'생태학적 추론'이 갖는 의미를 서술하시오.(700±50자)

<가>

[앞부분 줄거리] 산업화가 한창이던 1970년대 후반, 철새 도래지인 동진강 하구에는 언제부터인가 도요새가 사라지고 있다. 고향에 돌아와 환경 문제에 관심을 갖게 된 '병국'은 철새들이 사라지는 원인을 찾기 위해 밤낮으로 노력하지만, 근처 공장주들은 그런 병국을 못마땅해 한다. 그러던 어느 날 병국의 아버지인 '나'의 앞으로 공장에서 사람들이 찾아와 행패에 가까운 난동을 피운다. 병국이 당국에 '근처 공장에서 몰래 오염물질을 내보내고 있다'는 내용의 진정서를 제출했기 때문이었다.

노무과장이 찾아온 이유를 설명했다.

"여기 시 보건과에 접수한 진정서 사본 좀 보십시오."

노무과장은 마루에 걸터앉아 주머니에서 복사판 서류를 꺼냈다. 종이를 받아 든 내 손이 떨렸다. 방안으로 들어가 돋보기안경을 찾아 낄 틈도 없이 희미한 글자를 대충 훑어보았다.

> 성창 비료 서교 공장은 연간 사십 억 규모의 흑자를 내고 있으면서도 폐기 처리 과정에 대한 근본적인 개선책이 전혀 없음이 입증되었다. 지난 8월 4일 새벽 2시 20분, 당 공장은 야음을 틈타 암모니아 가스를 다량으로 배출하여 그 가스가 폐교천(석교천)을 따라 안개처럼 덮쳐 와 동진강 하류로 확산된 바 있다. 이로 인하여 새벽 4시 10분 동진강 하류에서 오징어잡이에 출어하려던 어민 18명이 심한 두통과 구토증으로 실신한 사건이 있었다. 당사는 기계 밸브가 고장 나서 가스가 샜다고 변명하지만 이런 사건은 일주일을 주기로 이미 수십 차례 반복되었음을 입증하며(관계자료 별첨), 이로 미루어 당사는 일부러 밸브를 틀어 못쓰게 된 가스를 배출하고 있음이 객관적으로 입증됨으로써…….

"정신병자가 쓴 낙선 뭐 더 읽을 필요도 없소."

하며 한 젊은이는 내가 읽던 진정서를 낚아챘다.

"아, 아들놈이 낸 진정서 틀림없습니까?"

노무과장에게 내가 물었다.

"분명합니다. 알고 보니 자제분은 이 방면에 상습범이더군요. 지난 유월에는 풍천화학을 상대로 진정서를 낸 바 있습니다. 풍천 화학 역시 야음을 틈타 카드뮴, 수은 등 중금속 물질을 다량 배출하여 동진강 하류 삼각주 지대 각종 새 삼백여 마리와 물고기들이 떼죽음을 했다나요. 사람이 아닌 한갓 새나 물고기가 죽은 걸 두고 말입니다."

노무과장 목소리가 열을 띠더니 '새나 물고기'란 말을 힘주어 강조했다.

"기가 막혀서. 뭐 제 놈이 실신했다거나 가족이 떼죽음 당했다면 또 몰라."

한 젊은이가 가소롭다는 듯 시큰둥 말했다.
"국민 소득 일천 달러 달성에, 오늘날 조국 근대화가 다 무엇으로 이루어진 성과인 줄 선생도 알지요?"
다른 젊은이가 내 눈을 찌를 듯 손가락질했다.
"빈대 잡겠다고 초가삼간 태우겠다는 미친놈 짓거리를 이번으로 뿌릴 뽑아야 해!"

-김원일, <도요새에 관한 명상>, 『고등학교 국어』

<나>

우리가 생각 없이 잘라 내고 있는 것이 어찌 소나무만이겠습니까. 없어도 되는 물건을 만들기 위하여 없어서는 안 될 것들을 마구 잘라 내고 있는가 하면, 아예 사람을 잘라 내는 일마저 서슴지 않는 것이 우리의 현실이기 때문입니다. 우리가 살고 있는 이 지구 위의 유일한 생산자는 식물이라던 당신의 말이 생각납니다. 동물은 완벽한 소비자입니다. 그 중에서도 최대의 소비자가 바로 사람입니다. 사람들의 생산이란 고작 식물들이 만들어 놓은 것이나 땅속에 묻힌 것을 파내어 소비하는 것에 지나지 않습니다. 쌀로 밥을 짓는 일을 두고 밥의 생산이라고 할 수 없는 것이나 마찬가지입니다. 생산의 주체가 아니라 소비의 주체이며 급기야는 소비의 객체로 전락되고 있는 것이 바로 사람입니다. 자연을 오로지 생산의 요소로 규정하는 경제학의 폭력성이 이 소광리 소나무숲에서만큼 분명하게 부각되는 곳이 달리 없을 듯 합니다.
산판(山坂)일을 하는 사람들은 큰 나무를 베어 낸 그루터기에 올라서지 않는 것이 불문율로 되어 있다고 합니다. 잘린 부분에서 올라오는 나무의 노기(怒氣)가 사람을 해치기 때문입니다. 어찌 노하는 것이 소나무뿐이겠습니까. 온 산천의 아우성이 들리는 듯합니다.

-신영복, <당신이 나무를 더 사랑하는 까닭>, 『고등학교 국어』

<다>

케냐 사람들이 크고 곧은 나무를 보호한 데에는 나무에 정령이 깃들어 있다는 믿음 또한 영향을 미쳤다. 예를 들어 키쿠유 사람들은 베어지지 않고 서 있는 나무를 '숲의 벌목에 저항하는 나무'라는 뜻인 무레마키리티라 불렀으며, 베어진 나무들의 정령이 이 나무들에 깃들었다고 여겼다. 그리고 정령이 다른 나무로 옮겨 간 뒤에야 이 나무들을 벨 수 있었다. 사람들은 베어 낼 나무에 나뭇가지를 기대어 놓았다가 다른 나무로 옮기거나, 나무를 베자마자 그 자리에 곧바로 또 다른 나무를 심는 방식으로 나무의 정령을 다른 나무로 옮겨 가게 했다. 그런 조심스러움이 무지막지한 벌목을 막은 것은 분명하다. (중략) 내가 어렸을 때, 어머니는 집 가까이에 있는 무화과나무 근처에서는 땔감으로 쓸 잔가지를 주워 오면 안 된다고 단단히 이르셨다. 그 나무는 '하느님의 나무'이기 때문이다.
하지만 이처럼 무화과나무를 하느님의 나무로 인식하는 데는 일종의 **㉠생태학적 추론**이 뒷받침된다. 깊이 뻗은 무화과나무 뿌리는 산사태를 예방하고, 빗물을 땅속에 저장하고 순환시켜 지표면에 냇물이나 개울을 이루게 한다. 따라서 무화과나무를 죽이거나 해치면, 흙이 불안정해지고 물의 저장과 방출이 어려워진다. 무화과나무를 약재나 식량으로 이용해 왔을 많은 사람이, 때때로 겪어야 했던 가혹한 환경 속에서 살아남을 수 있었던 이유는 바로 여기에 있다.

-왕가리 마타이, <자연을 바라보는 시선>, 『고등학교 독서』

[문항 2] <가>에 나타난 동상의 의미를 <다>의 관점에서 평가하고, <나>에 나타난 초상의 의미를 <라>의 관점에서 평가하시오. (700 ± 50자)

<가>

미국 시카고의 메릴린 먼로 동상은 상업적이고 성차별적인 전시물로 논란이 많았다. 광고, 영화, 공연 등에서 성적 이미지를 직간접적으로 이용하여 이윤을 추구하는 것을 성 상품화라고 한다. 법의 테두리 내에서 성을 상품화하여 이윤을 추구하는 것은 자본주의의 가치에 부합하며, 자신의 성적 매력을 표현하여 상품화하는 것은 성적 자기 결정권에 해당할 수 있다. 그러나 성 상품화는 궁극적으로 인간의 존엄성을 훼손하며, 불평등을 야기하게 된다.

『고등학교 생활과 윤리』

<미국의 메릴린 먼로 동상>

<나>

2009년에 처음 발행된 5만 원권에 첫 여성 인물인 신사임당의 초상을 넣었다. 율곡 이이를 키운 어머니로서 세계 최초로 모자지간이 지폐의 인물이 됐다. 이처럼 여성이 지폐 모델로 등장한다는 것은 그 나라가 추구하는 가치가 강력하게 재편되고 있다는 의미를 가지고 있다.

『고등학교 사회 · 문화』

<한국의 신사임당 초상>

<다>

전근대 사회는 지배층 성인 남성을 중심으로 사회가 운영되었다. 근대화가 진행되면서 여성이 사회의 주체로서 주목받게 된 데에는 어떤 배경이 있을까? 동아시아 각국은 근대화 초기에 '충실한 어머니이자 남편을 뒷바라지하는 현모양처'와 같은 전통적인 여성관을 가르치기 위해 여성 교육을 추진하였다. 그러나 일부 여성들은 교육을 통해 여성의 권리에 눈 뜨기 시작하였다. 일본에서는 부친의 가부장적 권위에 저항하고 강요된 결혼을 거부하는 여성들이 등장하였다. 중국에서는 근대 교육을 받은 여성들이 중심이 되어 악습인 전족*을 거부하고 남성들과 함께 당당히 거리를 활보하는 분위기가 퍼졌다.

*전족 : 여성의 성장을 억제하기 위해 중국에서 발을 묶던 관습

『고등학교 동아시아사』

<라>

남성과 여성의 타고난 본성 때문에 그들이 각각 현재와 같은 역할을 하게 되었고, 또 그것이 본성에 적합하다고 말할 수 있는 근거는 아무것도 없다. 현재와 같은 남녀 관계가 유지되고, 상식과 인간 정신의 본질에 비추어 볼 때, 어느 누구도 남녀의 본성에 대해 안다거나 알 수 있다고 말할 수 없다. 만일 사회에서 여성 없이 남성만 살았거나 반대로 남성 없이 여성만 살았다면, 또는 지금처럼 여성이 남성의 지배를 받지 않는 사회가 존재한다면, 각각의 본성에 내재한 정신적 · 도덕적 차이에 대해 분명히 알 수 있을 것이다. 오늘날 여성의 본성이라고 알려져 있는 것들은 확실히 인위적으로 만들어 낸 것이다.

『고등학교 생활과 윤리』

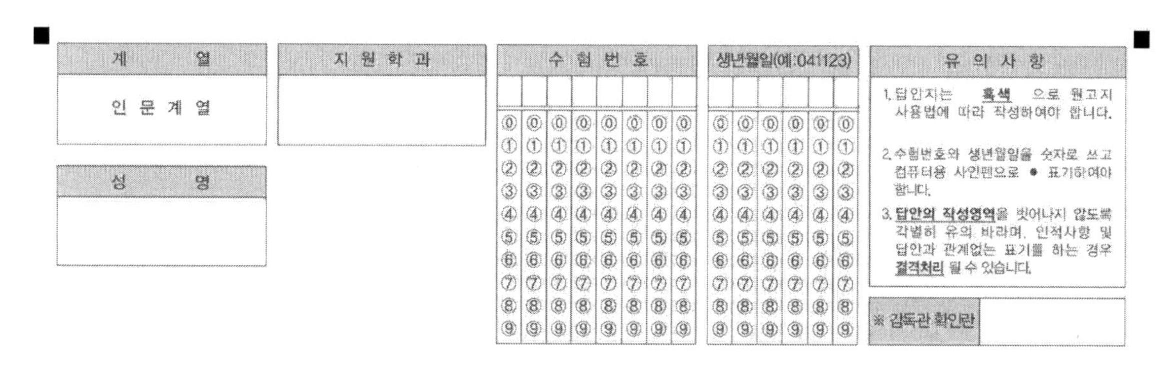

【1번】 답안 (반드시 해당 문제와 일치하여야 함)

40
80
120
160
200
240
280
320
360
400
440

이 줄 아래에 답안을 작성하거나 낙서할 경우 판독이 불가능하여 채점 불가

이 줄 위에 답안을 작성하거나 낙서할 경우 판독이 불가능하여 채점 불가

480

520

560

600

640

680

720

760

800

이 줄 아래에 답안을 작성하거나 낙서할 경우 판독이 불가능하여 채점 불가

이 줄 위에 답안을 작성하거나 낙서할 경우 판독이 불가능하여 채점 불가

【2번】 답안 (반드시 해당 문제와 일치하여야 함)

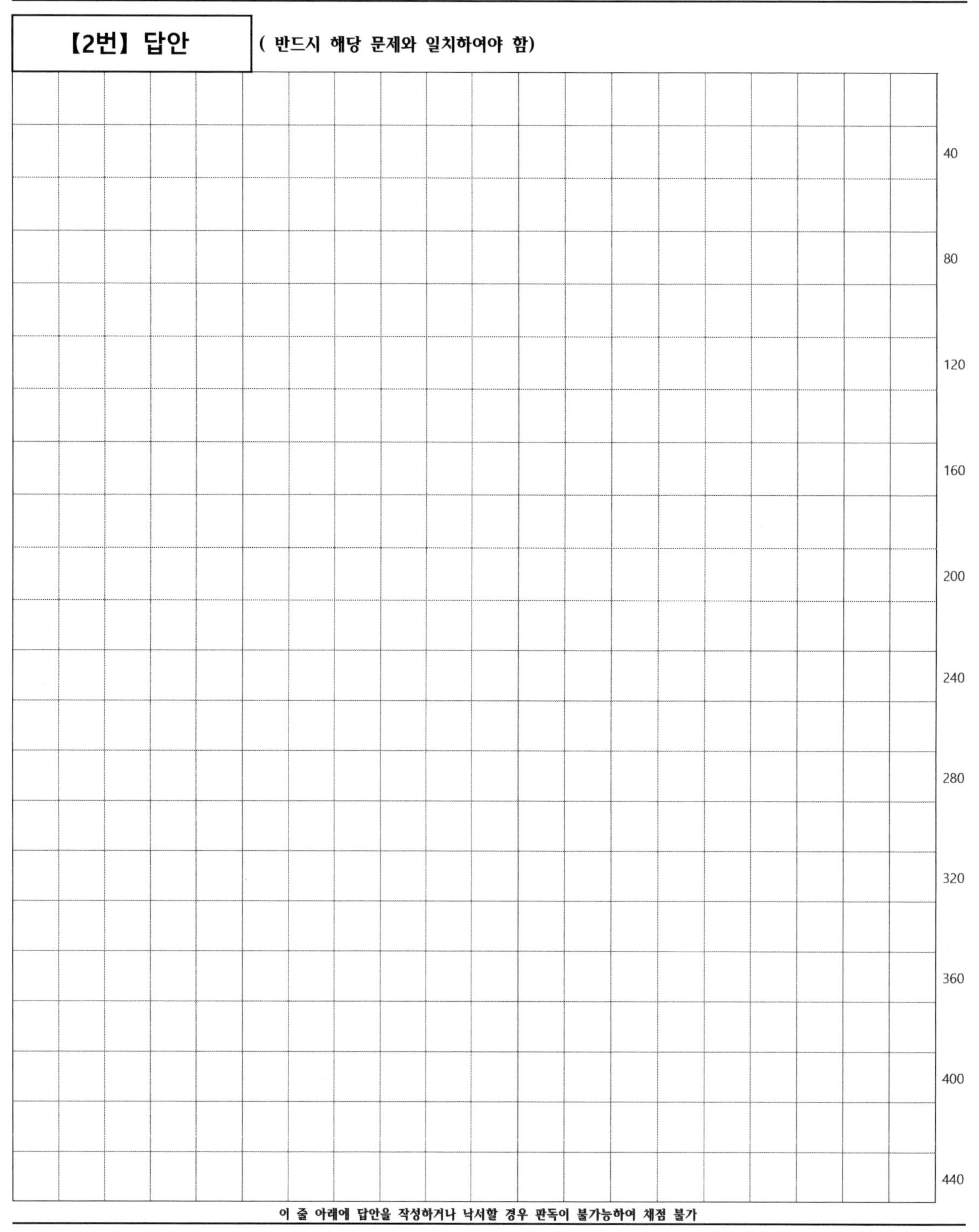

이 줄 아래에 답안을 작성하거나 낙서할 경우 판독이 불가능하여 채점 불가

이 줄 위에 답안을 작성하거나 낙서할 경우 판독이 불가능하여 채점 불가

480

520

560

600

640

680

720

760

800

이 줄 아래에 답안을 작성하거나 낙서할 경우 판독이 불가능하여 채점 불가

7. 2022학년도 경기대 수시 논술 A형

[문항 1] <가>의 글쓴이와 <나>에의 화자가 자아를 대하는 태도를 비교하고, <가>에 비해 <나>가 더 큰 서정적 감동을 불러일으키는 이유를 서술하시오. (700 ± 50자)

<가>

수오재(守吾齋), 즉 '나를 지키는 집'은 큰형님이 자신의 서재에 붙인 이름이다. 나는 처음 그 이름을 보고 의아하게 여기며, "나와 단단히 맺어져 서로 떠날 수 없기로는 '나'보다 더한 게 없다. 비록 지키지 않는다 한들 '나'가 어디로 갈 것인가. 이상한 이름이다."라고 생각했다.

장기로 귀양 온 이후 나는 홀로 지내며 생각이 깊어졌는데, 어느 날 갑자기 이러한 의문점에 대해 환히 깨달을 수 있었다. 나는 벌떡 일어나 다음과 같이 말했다.

천하 만물 중에 지켜야 할 것은 오직 '나'뿐이다. 내 밭을 지고 도망갈 사람이 있겠는가? 그러니 밭은 지킬 필요가 없다. 내 집을 지고 달아날 사람이 있겠는가? 그러니 집은 지킬 필요가 없다. 내 동산의 꽃나무와 과실나무들을 뽑아 갈 수 있겠는가? 나무뿌리는 땅속 깊이 박혀 있다. 내 책을 훔쳐 가서 없애 버릴 수 있겠는가? 성현의 경전은 세상에 퍼져 물과 불처럼 흔한데 누가 능히 없앨 수 있겠는가. 내 옷과 양식을 도둑질하여 나를 궁색하게 만들 수 있겠는가? 천하의 실이 모두 내 옷이 될 수 있고, 천하의 곡식이 모두 내 양식이 될 수 있다. 도둑이 비록 훔쳐 간다한들 하나둘에 불과할 터, 천하의 모든 옷과 곡식을 다 없앨 수는 없다. 따라서 천하 만물 중에 꼭 지켜야만 하는 것은 없다.

그러나 유독 이 '나'라는 것은 그 성품이 달아나기를 잘하며 출입이 무상하다. 아주 친밀하게 붙어 있어 서로 배반하지 못할 것 같지만 잠시라도 살피지 않으면 어느 곳이든 가지 않는 곳이 없다. 이익으로 유도하면 떠나가고, 위험과 재앙으로 겁을 주면 떠나가며, 질탕한 음악 소리만 들어도 떠나가고, 미인의 예쁜 얼굴과 요염한 자태만 보아도 떠나간다. 그런데 한번 떠나가면 돌아올 줄 몰라 붙잡아 만류할 수가 없다. 그러므로 천하 만물 중에 잃어버리기 쉬운 것으로는 '나'보다 더한 것이 없다. 그러니 꽁꽁 묶고 자물쇠로 잠가 '나'를 굳게 지켜야 하지 않겠는가?

나는 '나'를 허투루 간수했다가 '나'를 잃은 사람이다. 어렸을 때는 과거 시험을 좋게 여겨 그 공부에 빠져 있었던 것이 10년이다. 마침내 조정의 벼슬아치가 되어 사모관대에 비단 도포를 입고 백주 도로를 미친 듯 바쁘게 돌아다니며 12년을 보냈다. 그러다 갑자기 상황이 바뀌어 친척을 버리고 고향을 떠나 한강을 건너고 문경 새재를 넘어 아득한 바닷가 대나무 숲이 있는 곳에 이르러서야 멈추게 되었다. 이때 '나'도 땀을 흘리고 숨을 몰아쉬며 허둥지둥 내 발뒤꿈치를 쫓아 함께 이곳에 오게 되었다. 나는 '나'에게 말했다.

"너는 무엇 때문에 여기에 왔는가? 여우나 도깨비에게 홀려서 왔는가? 바다의 신이 불러서 왔는가? 너의 가족과 이웃이 소내에 있는데, 어째서 그 본고장으로 돌아가지 않는가?"

그러나 '나'는 멍하니 꼼짝도 않고 돌아갈 줄을 몰랐다. 그 안색을 보니 마치 얽매인 게 있어 돌아가려 해도 돌아갈 수 없는 듯했다. 그래서 '나'를 붙잡아 함께 머무르게 되었다.

이 무렵, 내 둘째 형님 또한 그 '나'를 잃고 남해의 섬으로 가셨는데, 역시 '나'를 붙잡아 함께 그곳에 머무르게 되었다.

유독 내 큰형님만이 '나'를 잃지 않고 편안하게 수오재에 단정히 앉아 계신다. 본디부터 지키는 바가 있어 '나'를 잃지 않으신 때문이 아니겠는가? 이것이야말로 큰형님이 자신의 서재 이름을 '수오'라고 붙이신 까닭일 것이다. 일찍이 큰형님이 말씀하셨다.

"아버지께서 나의 자(字)를 태현이라고 하셨다. 나는 홀로 나의 태현을 지키려고 서재 이름을 '수오'라고 하였다."

이는 그 이름 지은 뜻을 말씀하신 것이다.

맹자께서 말씀하시기를, "무엇을 지키는 것이 큰일인가? 자신을 지키는 것이 큰일이다."라고 하셨는데, 참 되도다, 그 말씀이여!

드디어 내 생각을 써서 큰형님께 보여 드리고 수오재의 기문으로 삼는다.

정약용, <수오재기>, 『고등학교 문학』

<나>

산모퉁이를 돌아 논가 외딴 우물을 홀로 찾아가선 가만히 들여다봅니다.

우물 속에는 달이 밝고 구름이 흐르고 하늘이 펼치고 파아란 바람이 불고 가을이 있습니다.

그리고 한 사나이가 있습니다.
어쩐지 그 사나이가 미워져 돌아갑니다.

돌아가다 생각하니 그 사나이가 가엾어집니다.
도로 가 들여다보니 사나이는 그대로 있습니다.

다시 그 사나이가 미워져 돌아갑니다.
돌아가다 생각하니 그 사나이가 그리워집니다.

우물 속에는 달이 밝고 구름이 흐르고 하늘이 펼치고 파아란 바람이 불고 가을이 있고 추억(追憶)처럼 사나 이가 있습니다.

윤동주, <자화상>, 『고등학교 국어』

[문항 2] <나>의 사례에서 발생할 수 있는 문제와 그 해결 방법을 <가>를 바탕으로 제시하고, ㉠의 한계를 <다>의 사례를 통해 설명해 보시오. (700 ± 50자)

<가>

시장경제에서 개인이 사적인 이익을 추구하는 것은 시장경제를 발전시키는 원동력이 된다. 그런데 시장의 기능이 제대로 작동하기 위해서는 시장에서의 경쟁이 자유롭고 공정하게 이루어져야 한다. 그러나 현실 경제에서는 시장이 불안정하거나 재화와 서비스의 불안정으로 인해 자원의 배분이 효율적으로 이루어지지 못하는 경우가 발생하기도 한다. 그리하여 오늘날 시장경제를 채택하고 있는 대부분의 국가에서는 시장의 한계를 보완하기 위해 ㉠경제활동의 조정자로서 정부의 개입과 역할을 어느 정도 인정하고 있다.

『고등학교 통합사회』

<나>

주말을 끼고 홍콩 여행을 간다면 필리핀 등지에서 온 가사 도우미들이 공원에서 쉬고 있는 모습을 어렵지 않게 볼 수 있다. 상당수의 홍콩 가정은 필리핀 출신의 입주 가사 도우미를 저렴한 임금에 고용하고 있는데, 이 들이 휴일인 일요일에 휴식을 취하러 집 밖으로 나온 것이다. 이들은 홍콩 여성의 사회생활을 가능하게 하는 일등 공신으로 여겨진다. 홍콩은 맞벌이 부부가 많아 가사 도우미가 필요하고, 필리핀은 실업률이 높아 자국 민의 해외 취업을 장려하면서 양국 정부의 수요와 공급이 맞아떨어져 만들어 낸 결과이다.

『고등학교 통합사회』

<다>

제1차 석유 파동은 석유 의존도가 높은 국가에 큰 영향을 주었다. 1973년 초, 배럴당 2.59달러였던 서남아 시아의 석유 가격이 일 년 만에 11.65달러로 무려 네 배 가까이 올랐다. 이에 영향을 받아 전 세계의 경제 성장률이 크게 떨어져 1975년 선진국은 마이너스 성장을 기록했고, 인플레이션이 나타나기 시작하였다. 반면에 1974년 석유 수출국 기구(OPEC) 회원국의 무역 수지 흑자액은 600억 달러에 이르렀다. 제2차 석유 파동 기간인 1978년부터 1980년 사이에 석유 가격이 배럴당 12.9달러에서 31.5달러로 급등하였고, 생산 비용의 상승으로 인플레이션이 가속화되면서 세계 각국의 경제 성장률은 둔화되었다.

『고등학교 통합사회』

계 열	지 원 학 과	수 험 번 호	생년월일(예:041123)	유 의 사 항
인 문 계 열				1. 답안지는 흑색 으로 원고지 사용법에 따라 작성하여야 합니다. 2. 수험번호와 생년월일을 숫자로 쓰고 컴퓨터용 사인펜으로 ● 표기하여야 합니다. 3. 답안의 작성영역을 벗어나지 않도록 각별히 유의 바라며, 인적사항 및 답안과 관계없는 표기를 하는 경우 결격처리 될 수 있습니다.

성 명

① ② ③ ④ ⑤ ⑥ ⑦ ⑧ ⑨ ⓪

※ 감독관 확인란

【1번】 답안 (반드시 해당 문제와 일치하여야 함)

40

80

120

160

200

240

280

320

360

400

440

이 줄 아래에 답안을 작성하거나 낙서할 경우 판독이 불가능하여 채점 불가

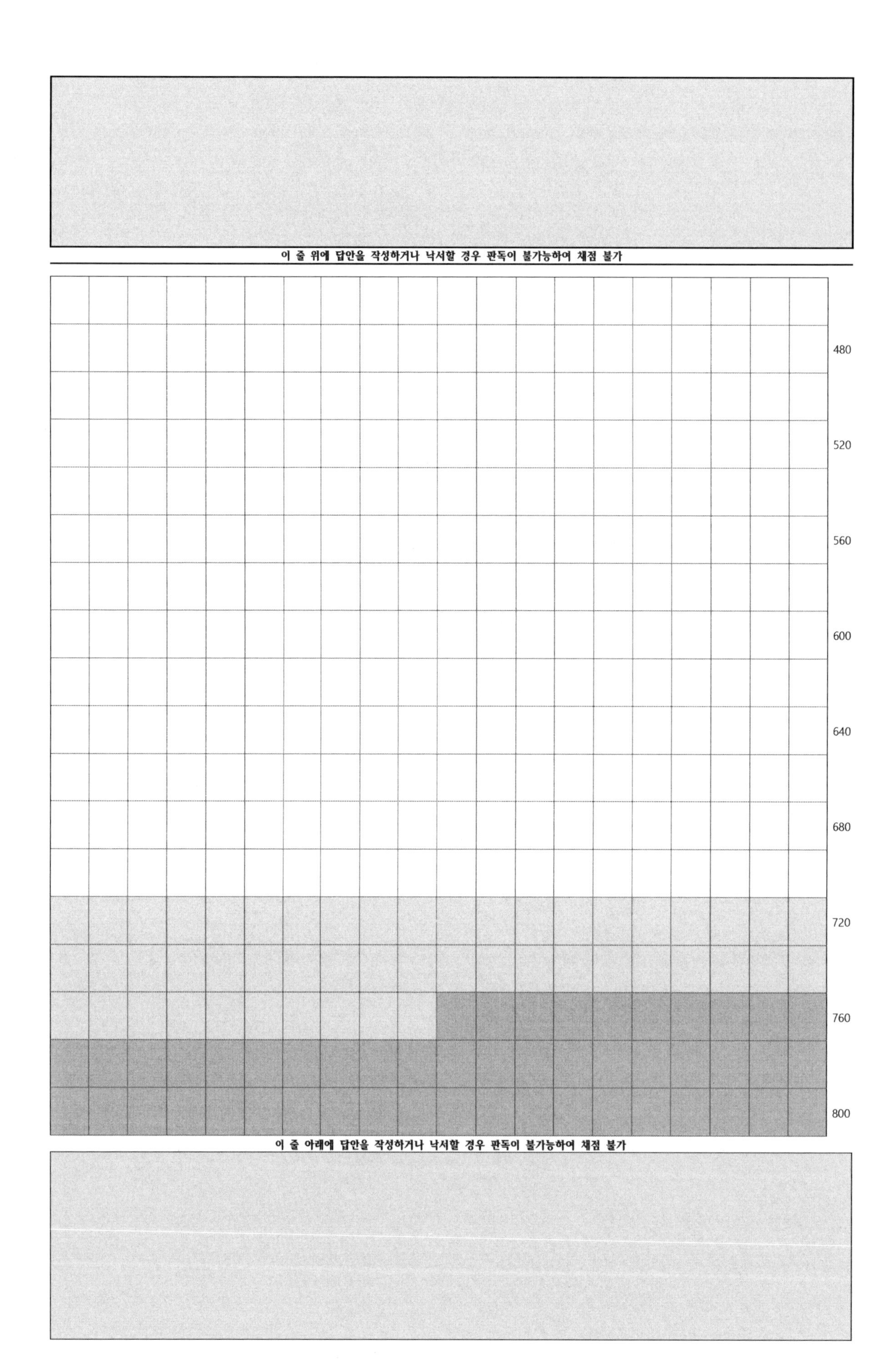
이 줄 위에 답안을 작성하거나 낙서할 경우 판독이 불가능하여 채점 불가
480
520
560
600
640
680
720
760
800
이 줄 아래에 답안을 작성하거나 낙서할 경우 판독이 불가능하여 채점 불가

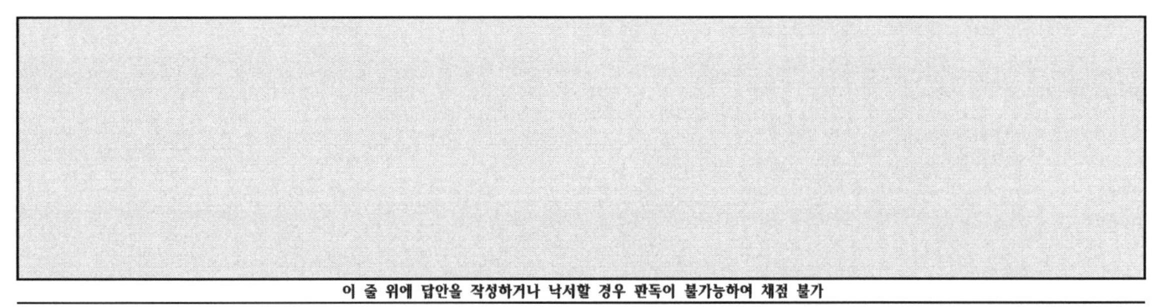

이 줄 위에 답안을 작성하거나 낙서할 경우 판독이 불가능하여 채점 불가

【2번】 답안 (반드시 해당 문제와 일치하여야 함)

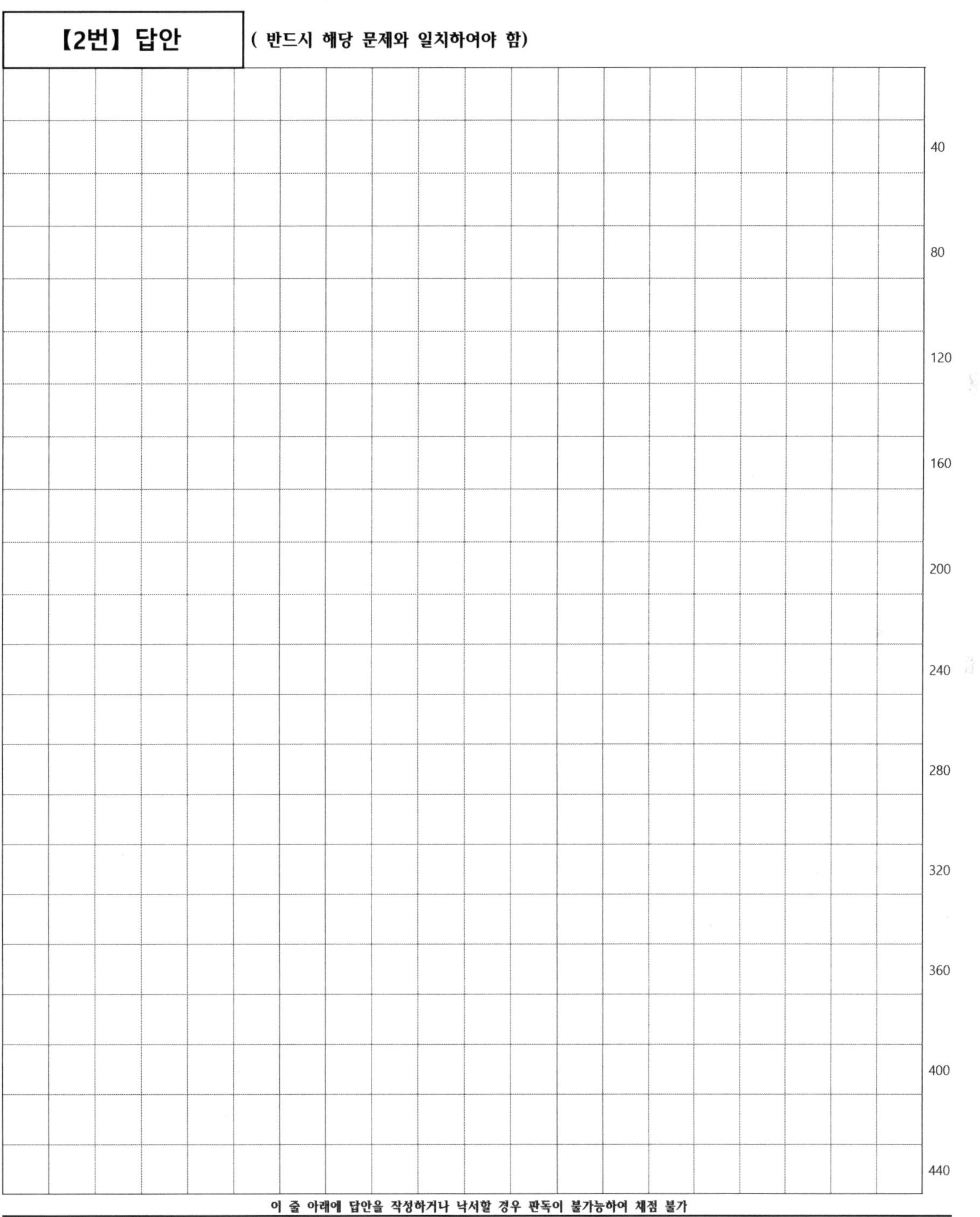

이 줄 아래에 답안을 작성하거나 낙서할 경우 판독이 불가능하여 채점 불가

이 줄 위에 답안을 작성하거나 낙서할 경우 판독이 불가능하여 채점 불가

480

520

560

600

640

680

720

760

800

이 줄 아래에 답안을 작성하거나 낙서할 경우 판독이 불가능하여 채점 불가

8. 2022학년도 경기대 수시 논술 B형

[문항 1] <가>의 서술자와 <나>의 화자가 처한 상황을 비교하고, 이런 맥락에서 <가>의 '피아노 연주'와 <나>의 '농무'의 의미를 서술하시오. (700 ± 50자)

<가>

[앞부분의 줄거리]

만두 가게를 하던 나의 집은 아빠가 선 빚보증으로 망한다. 피아노와 함께 언니의 반지하방, 곰팡이만 잔뜩 핀 곳에 머물게 된 나는 집주인에게 시끄러운 피아노는 절대 치지 않겠다는 약속을 한다. 나의 언니는 피부나 치아가 계급을 표시한다는 말을 들은 뒤 자꾸 사람들의 이를 보게 되었다며, 헤어진 남자 친구가 만취해 집으로 찾아와 쓰러졌을 때, 자기도 모르게 그 사람의 입술을 벌려 이를 보았던 적이 있다고 고백한다.

문득 피아노를 치고 싶은 마음이 들었다. 이사 후 처음 있는 일이었다. 그리고 일단 그런 마음이 들자, 주체할 수 없는 감정이 솟구쳤다. 한 음 정도는 괜찮지 않을까. 소리는 금방 사라져 아무도 모를 것이다. 나는 용기 내어 손가락에 힘을 주었다.

"도-"

도는 방 안에 갇힌 나방처럼 긴 선을 그리며 오래오래 날아다녔다. 나는 그 소리가 아름답다고 생각했다. 가슴 속 어떤 것이 옅게 출렁여 사그라지는 기분이었다. 도는 생각보다 오래 도-하고 울었다. 나는 한 음이 완전하게 사라지는 느낌을 즐기려 눈을 감았다. 밖에서 문 두드리는 소리가 났다. 쿵쿵쿵쿵. 주먹으로 네 번이었다. 나는 얼른 피아노 뚜껑을 덮었다. 다시 쿵쿵 소리가 들렸다. 현관문을 열어보니 주인집 식구들이었다. 체육복을 입은 남자와 그의 아내, 두 아이가 나란히 서 있었다. 사내아이는 아빠와, 계집아이는 엄마와 똑 닮아있었다. 외식이라도 갔다 오는지 그들 모두 입에 이쑤시개를 물고 있었다. 남자가 입을 열었다.

"학생, 혹시 좀 전에 피아노 쳤어?"

나는 천진하게 말했다.

"아닌데요."

주인 남자는 고개를 갸웃거리며 물었다.

"친 거 같은데……?"

나는 다시 아니라고 했다. 주인 남자는 의심스러운 표정을 짓다가, 내가 곰팡이 얘길 꺼내자 "지하는 원래 그렇다"고 말한 뒤, 서둘러 2층으로 올라갔다. 나는 방으로 돌아와 피아노 옆에 기대어 앉았다. 그런 뒤 무심코 휴대전화 폴더를 열었다. 휴대전화는 번호마다 고유한 음이 있어 단순한 연주가 가능했다. 1번은 도, 2번은 레, 높은 음은 별표나 영을 함께 누르면 되는 식이었다. 더듬더듬 버튼을 눌렀다. 미 솔미 레도시도 파, 미 솔미 레도시도 레레레 미…… '원래 그렇다'는 말 같은 거, 왠지 나쁘다는 생각이 들었다.

저녁부터 폭우가 내렸다. 언니는 아르바이트 때문에 늦는다고 했다. 벌써 퇴근했어야 하는 시간인데 정산을 잘못한 모양이었다. 언니는 계산서를 처음부터 끝까지 살펴본 뒤, 안 맞을 경우 다시 계산기를 두드리고, 같은 일을 반복하며 밤을 새울 터였다. 나는 만두라면을 먹으며 연속극을 보고 있었다. 볼륨을 한껏 높였는데도 배우들의 목소리가 잘 들리지 않았다. 리모콘을 잡으니 뭔가 축축한 게 만져졌다. 한참 손바닥을 들여다본 후에야 그것이 빗물이란 걸 깨달았다. 나는 화들짝 자리에서 일어났다. 현관에서부터 물이 새고 있었다. 이물질이 잔뜩 섞인 새까만 빗물이었다. 그것은 벽지를 더럽히며 창틀 아래로 흘러내렸다. 벽면은 검은 눈물을 뚝뚝 흘리는 누군가의 얼굴 같았다.

[생략된 부분의 줄거리]
방으로 들어온 빗물을 퍼내던 중, 나는 '돈이 필요하다'는 아빠의 전화를 받는다. 비는 점점 거세지고, 반지하방은 물바다가 된다. 그 와중에 언니와 헤어진 남자 친구가 술에 취해 집에 들어온 바람에, 나는 어쩔 수 없이 그를 부축하게 된다.
빗물은 어느새 무릎까지 차올랐다. 나는 피아노가 물에 잠겨가고 있다는 걸 깨달았다. 저대로 두다간 못 쓰게 될 게 분명했다. 순간 '쇼바'를 잔뜩 올린 오토바이 한 대가 부르릉— 가슴을 긁고 가는 기분이 들었다. 오토바이가 일으키는 흙먼지 사이로 수천 개의 만두가 공기 방울처럼 떠올랐다 사라졌다. 언니의 영어 교재도, 컴퓨터와 활자 디귿도, 아버지의 전화도, 우리의 여름도 모두 하늘 위로 떠올랐다 톡톡 터져버렸다. 나는 피아노 뚜껑을 열었다. 깨끗한 건반이 한눈에 들어왔다. 건반 위에 가만 손가락을 얹어보았다. 엄지는 도, 검지는 레, 중지와 약지는 미 파. 아무 힘도 주지 않았는데 어떤 음 하나가 긴 소리로 우는 느낌이 들었다. 나는 나도 모르게 손가락에 힘을 주었다.
"도—"
도는 긴 소리를 내며 방 안을 날아다녔다. 나는 레를 짚었다.
"레—"
사내가 자세를 틀어 기역 자로 눕는 모습이 보였다. 나는 편안하게 피아노를 연주하기 시작했다. 하나둘 손 끝에서 돋아나는 음표들이 눅눅했다.
"솔 미 도레 미파솔라솔……"
물에 잠긴 페달에 뭉텅뭉텅 공기 방울이 새어 나왔다. 음은 천천히 날아올라 어우러졌다 사라졌다.
"미미 솔 도라 솔……"
사내의 몸에서 만두처럼 김이 모락모락 피어났다. 빗줄기는 거세졌다 잦아지길 반복하고, 검은 비가 출렁이는 반지하에서 나는 피아노를 치고, 발목이 물에 잠긴 채 그는 어떤 꿈을 꾸는지 웃고 있었다.

김애란, <도도한 생활>, 고등학교 문학

<나>

징이 울린다 막이 내렸다
오동나무에 전등이 매어 달린 가설무대
구경꾼이 돌아가고 난 텅 빈 운동장
우리는 분이 얼룩진 얼굴로
학교 앞 소줏집에 몰려 술을 마신다
답답하고 고달프게 사는 것이 원통하다
꽹과리를 앞장세워 장거리로 나서면
따라붙어 악을 쓰는 건 쪼무래기들뿐
처녀 애들은 기름집 담벽에 붙어 서서
철없이 킬킬대는구나
보름달은 밝아 어떤 녀석은
꺽정이처럼 울부짖고 또 어떤 녀석은
서림이처럼 해해대지만 이까짓
산 구석에 처박혀 발버둥 친들 무엇하랴
비룟값도 안 나오는 농사 따위야
아예 여편네에게나 맡겨 두고
쇠전을 거쳐 도수장 앞에 와 돌 때
우리는 점점 신명이 난다
한 다리를 들고 날라리를 불거나
고갯짓을 하고 어깨를 흔들거나.

신경림, <농무>, 고등학교 문학

[문항 2] <가>에 제시된 ㉠, ㉡의 견해를 <나>의 정의론의 관점에서 비판하고, <다>의 판결이 <나>의 정의론에 시사하는 바를 서술하시오. (700±50자)

<가>

상습적으로 어머니를 폭행, 상해를 입힌 혐의로 기소된 최 모 씨에게 법원이 징역 1년에 집행유예 3년 및 수강명령을 선고하여 논란이 되고 있다. 최 씨는 가정폭행으로 가정보호 송치만 다섯 번을 거쳤다. 이번에도 최씨는 10만 원을 달라고 했으나 주지 않았다는 이유로 어머니를 폭행한 혐의로 기소됐다. 존속 폭행이나 상해의 양형기준은 최대 징역 5년으로 되어 있다. 노인보호 전문기관의 한 관계자는 ㉠"법원이 엄격한 기준으로 강하게 처벌하여 국민의 경각심을 환기시킬 필요가 있다."라고 비판했다. 이에 대해 법원 관계자는 ㉡"최 씨의 성격과 행동을 교정하여 가족들이 서로 화해하고 잘 살도록 하는 게 더 중요하기 때문에 강한 처벌보다는 수강명령 등을 선고하고 있다."라고 밝혔다.

『고등학교 생활과 윤리』

<나>

형벌은 결코 범죄자 자신이나 시민 사회를 위해서 어떤 다른 선을 촉진하기 위한 수단으로 가해질 수 없다. 오직 그가 범죄를 저질렀기 때문에 그에게 가해져야만 하는 것이다. 인간은 결코 타인의 의도를 위한 수단으로 취급될 수 없기 때문이다. 그 자신이나 동료 시민들을 위한 몇몇 이익을 끌어내는 것을 생각하기 이전에도 먼저 그가 형벌을 받아야 할 상태에 있지 않으면 안 된다. (중략) 공적인 정의가 원칙과 표준으로 삼는 것은 어떤 종류의 형벌이고 어느 정도의 형벌인가? 그것은 다름 아니라 다른 한쪽보다 더 기울지 않는 동등성의 원칙이다. 그가 살인했다면, 그는 죽어야만 한다. 이 경우에 정의의 충족을 위한 대체물은 없다.

『고등학교 생활과 윤리』

<다>

라과디아(La Guardia, F. H., 1882~1947)는 미국 뉴욕시의 판사와 시장을 역임했고 많은 사람의 존경을 받았던 인물이다. 다음은 미국 대공황 시기에 그가 뉴욕시의 판사로 재임 중일 때 있었던 이야기이다.

『고등학교 통합사회』

계열	지원학과	수험번호	생년월일(예:041123)	유의사항
인문계열				1. 답안지는 **흑색** 으로 원고지 사용법에 따라 작성하여야 합니다. 2. 수험번호와 생년월일을 숫자로 쓰고 컴퓨터용 사인펜으로 ● 표기하여야 합니다. 3. **답안의 작성영역**을 벗어나지 않도록 각별히 유의 바라며, 인적사항 및 답안과 관계없는 표기를 하는 경우 **결격처리** 될 수 있습니다.

성명

※ 감독관 확인란

【1번】 답안 **(반드시 해당 문제와 일치하여야 함)**

40

80

120

160

200

240

280

320

360

400

440

이 줄 아래에 답안을 작성하거나 낙서할 경우 판독이 불가능하여 채점 불가

이 줄 위에 답안을 작성하거나 낙서할 경우 판독이 불가능하여 채점 불가

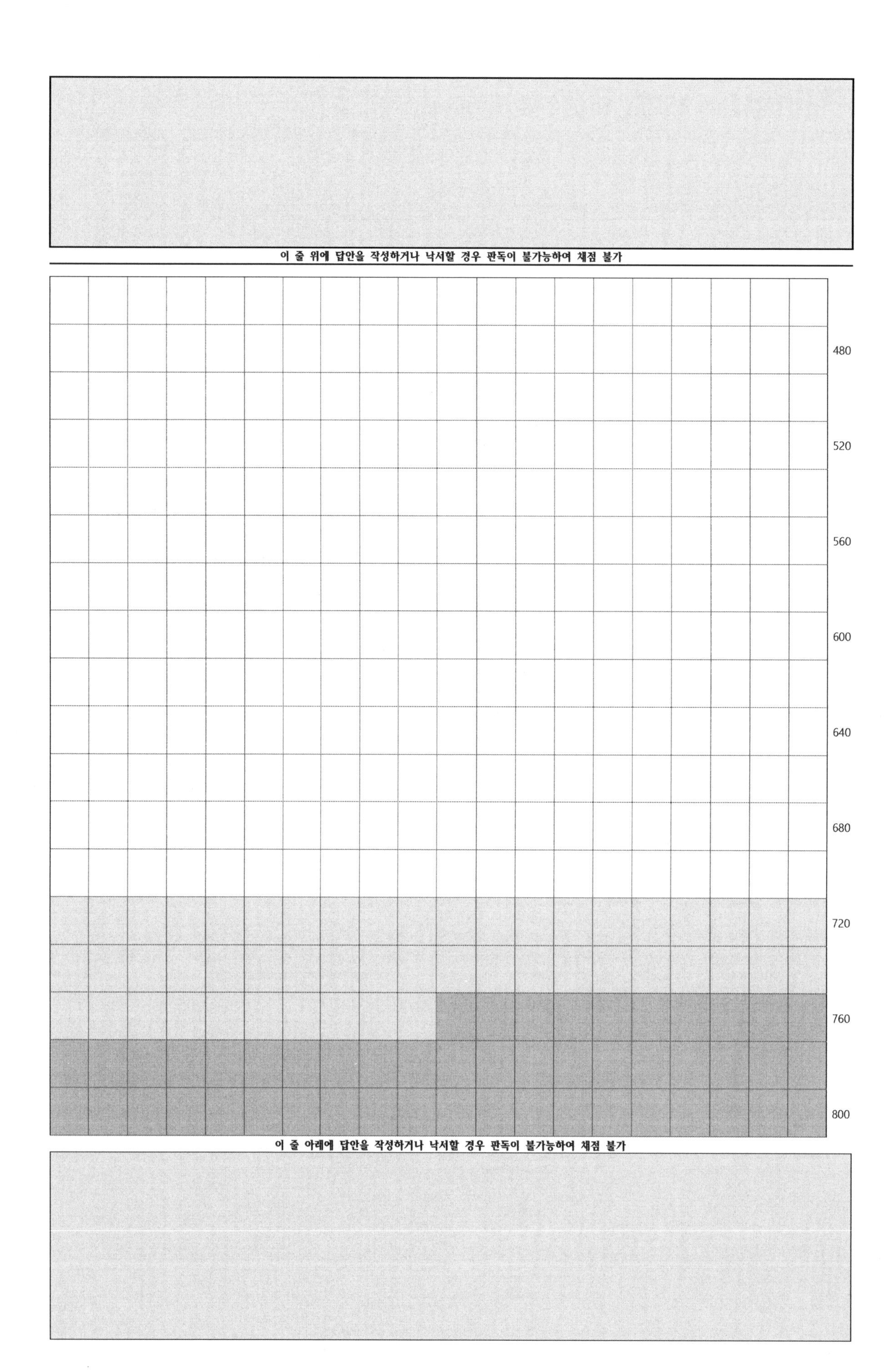

이 줄 아래에 답안을 작성하거나 낙서할 경우 판독이 불가능하여 채점 불가

이 줄 위에 답안을 작성하거나 낙서할 경우 판독이 불가능하여 채점 불가

【2번】 답안 (반드시 해당 문제와 일치하여야 함)

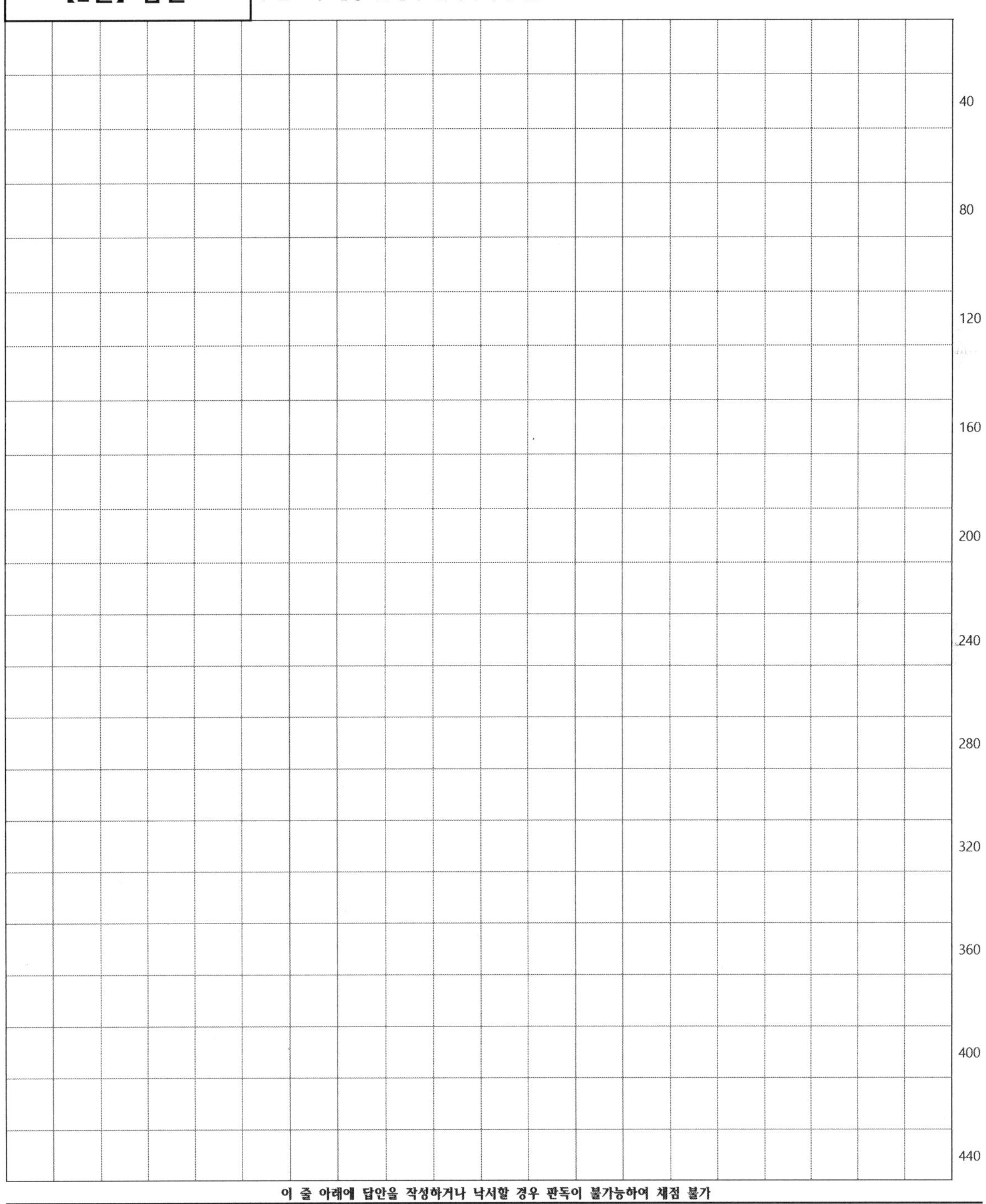

이 줄 아래에 답안을 작성하거나 낙서할 경우 판독이 불가능하여 채점 불가

이 줄 위에 답안을 작성하거나 낙서할 경우 판독이 불가능하여 채점 불가

480

520

560

600

640

680

720

760

800

이 줄 아래에 답안을 작성하거나 낙서할 경우 판독이 불가능하여 채점 불가

9. 2022학년도 경기대 모의 논술

[문항 1] <가>의 ㉠을 바탕으로 <나>의 '눈'을 해석하고, 이를 <다>의 '눈'과 비교하여 서술하시오. (700 ± 50자)

<가>

2015년 11월 13일 금요일, 유럽의 한 도시가 충격에 빠졌다. 테러였다. 130명의 무고한 시민이 목숨을 잃었다. 죽은 자의 아픔과 산 자의 슬픔이 온 세계를 뒤덮었다. 며칠 후, 유럽의 방송 매체 <르프티주르날(Le Petit Journal)>이 올린 동영상이 떴다. 비통과 절망에 빠진 도시, 희생자들을 추모하기 위해 꽃다발과 촛불이 가득 놓인 광장에서 이민자인 아빠 앙겔과 아들 브랑동이 대화하는 모습을 찍은 영상이었다. 순진하게만 보이는 어린 아들이 어디서 무슨 소리를 들었는지 테러를 피해 이사 갈 걱정까지 한다. 그러자 아버지가 따스한 표정으로 그에게 말한다.

"아니야, 걱정할 필요 없어. 집은 옮기지 않아도 된단다. 프랑스가 우리 집이야."
"그렇지만 나쁜 사람들이 있잖아요? 아빠."
"나쁜 사람들은 어디에나 있단다."
"나쁜 사람들은 총이 있고 우리를 쏠 수도 있어요. 나쁘고 총이 있으니까요, 아빠."
"봐봐. 그들은 총을 갖고 있지만 우리에겐 꽃이 있잖니?"
"하지만 꽃으로는 아무것도 할 수 없잖아요? 그들은 우리들을, 우리들을……."
"사람들이 놓아둔 저 꽃들이 보이지? 총에 맞서 싸우기 위한 거란다."
"꽃이 우리를 보호해 준다고요?"
"그렇고말고!"
"촛불도요?"
"그래, 그건 우리를 떠난 사람들을 잊지 않기 위한 거야."

㉠ 꽃이 우리를 지켜 주고 촛불이 떠나간 이들을 잊지 않게 해 준다는 말에 브랑동은 비로소 안심한 듯 미소를 짓는다. 하지만 이 인과 관계에는 엄청난 비약이 존재한다. 꽃이 총을 이기고, 그래서 사람들이 꽃을 바치고, 꽃을 바치는 사람이 저렇게 많으니, 우리는 안전하게 보호될 거라는 비약. 어린아이라서 순진한 탓일까, 아니면 어린아이기에 현자(賢者)인 탓일까. 브랑동은 이 비약을 가뿐히 넘어선다.

정재찬, <총, 꽃, 시>, 『고등학교 문학』

<나>

눈은 살아 있다
떨어진 눈은 살아 있다
마당 위에 떨어진 눈은 살아 있다

기침을 하자
젊은 시인이여 기침을 하자
눈 위에 대고 기침을 하자
눈더러 보라고 마음 놓고 마음 놓고
기침을 하자

눈은 살아 있다
죽음을 잊어버린 영혼과 육체를 위하여
눈은 새벽이 지나도록 살아 있다

기침을 하자
젊은 시인이여 기침을 하자
눈을 바라보며
밤새도록 고인 가슴의 가래라도
마음껏 뱉자

김수영, <눈>, 『고등학교 문학』

<다>

간밤의 눈 갠 후에 경믈이 달랃고야
*이어라 이어라
압희ᄂᆞᆫ *만경류리 뒤희ᄂᆞᆫ *쳔텹옥산
지국총 지국총 어 와
선계ㄴ가 불계ㄴ가 인간이 아니로다

*이어라 : '노를 저어라'라는 의미의 여음구
*만경류리(萬頃琉璃) : '만 이랑의 유리'라는 뜻으로, 유리처럼 맑고 평온한 아름다운 바다를 이르는 말
*쳔텹옥산(千疊玉山) : 수없이 겹쳐 있는 눈 덮인 산

윤선도, <어부사시사(漁父四時詞)>, 『고등학교 문학』

[문항 2] <가>의 맹자의 직분론에 대하여 <나>의 데이비스와 무어의 계층 이론이 갖는 의의를 서술하고, <다>의 ㉠과 ㉡ 사례를 바탕으로 <나> 이론의 한계를 논술하시오. (700 ± 50자)

<가>

맹자는 생업(직업)의 수행이 곧 윤리적 인격과 정서적 안정의 조건이며, 신분에 따른 사회적 분업과 직업 간의 상호 보완적 관계를 강조하였다. "대인의 일이 있고, 소인의 일이 있다. 어떤 사람은 마음을 수고롭게 하고, 어떤 사람은 힘을 수고롭게 하니, 마음을 수고롭게 하는 자는 남을 다스리고, 힘을 수고롭게 하는 자는 남의 다스림을 받는다."고 말하며 정신노동과 육체노동을 구분하고, 양자의 상보성과 노력자(勞力者)에 대한 노심자(勞心者)의 세심한 배려를 강조하였다.

『고등학교 생활과 윤리』

<나>

다음은 데이비스와 무어의 계층 이론에 대한 요약이다.

- 한 사회가 유지되기 위해서는 반드시 수행되어야 할 여러 가지 기능이 있고, 그러한 기능을 수행하기 위해서는 많은 작업과 일을 필요로 한다.
- 사회에는 기능적으로 중요한 일과 덜 중요한 일이 있는데, 더 중요한 일은 어렵고 일정한 훈련을 필요로 한다.
- 기능적으로 중요한 일을 담당할 재능 있는 자는 제한되어 있다.
- 재능 있는 사람들이 기능을 훈련받기 위해서는 금전적·시간적 희생이 필요하다.
- 재능 있는 사람들로 하여금 이러한 희생을 감수하고 그 일을 맡게 하려면 그 지위에는 사회적 희소가치를 더 분배 받을 수 있는 특권적 보상이 주어져야 한다.
- 기능적 중요도에 따라 사회적 희소가치를 차별적으로 분배한 결과, 제도화된 사회적 불평등이 나타난다.

『고등학교 사회·문화』

<다>

㉠ 고용노동부가 발표한 '고용 형태별 근로 실태 조사 보고서'에 따르면, 2015년 6월 기준 비정규직의 시간당 임금 총액은 1만 1452원으로, 정규직의 시간당 임금 총액인 1만 7480원과 비교하여 65.5%에 그친 것으로 나타났다.

정규직 대비 비정규직의 시간당 임금총액 수준

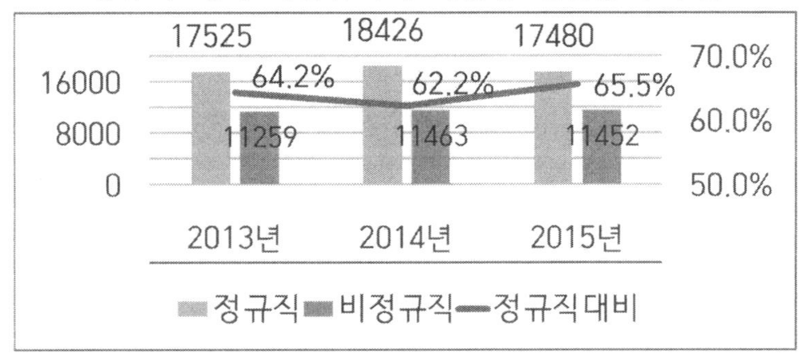

※ 동일 사업체 내 정규직과 비정규직 간 성별, 연령, 학력, 경력, 근속년수 등이 같다고 가정하여 비교한 결과임.

ⓛ 미국에서 근로자의 연봉과 최고 경영자(CEO)의 연봉 격차가 300배 수준으로 벌어지면서, 경영진의 보상을 둘러싼 논쟁이 가열되고 있다. 미국 경제 정책 연구소(EPI)가 미국에서 매출 규모 350위 이내 기업의 최고 경영자와 근로자의 연봉을 조사한 결과 각 사업장에서 나타난 최고 경영자와 근로자 연봉 비율의 평균이 303:1로 나타났다. 참고로 조사 대상 기업들의 평균 연봉은 최고 경영자가 1630만 달러(약 186억 원), 근로자는 5만 6400달러(약 6400만 원)이다. 이들의 연봉 비율은 1965년에 20:1이던 것이 1978년 30:1, 1989년 60:1로 늘었고 2000년에 376:1로 정점을 찍었다.

미국 내 최고 경영자와 근로자 간 연봉 격차

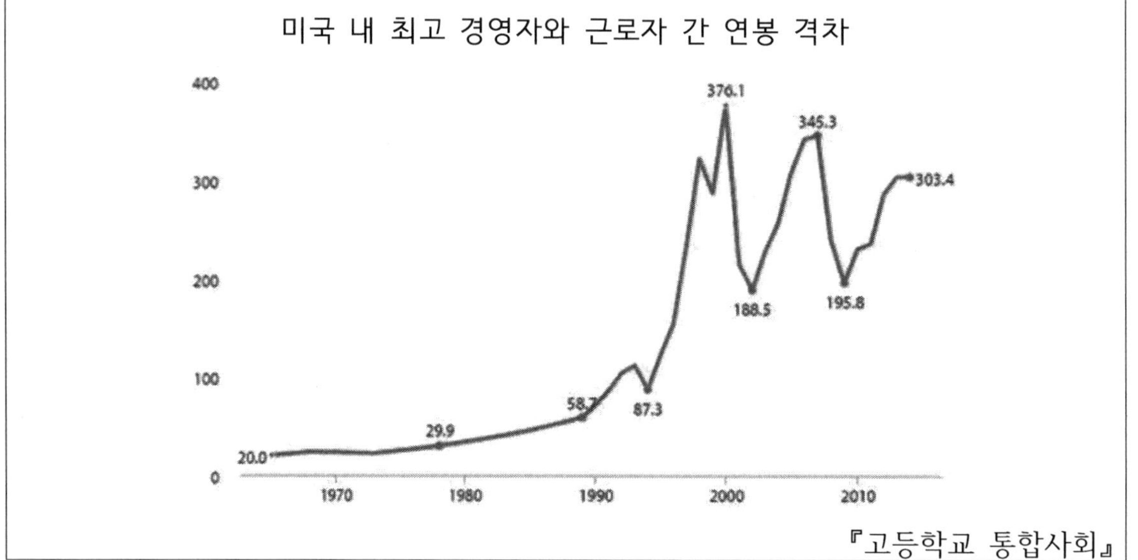

『고등학교 통합사회』

계 열	지 원 학 과	수 험 번 호	생년월일(예:041123)	유 의 사 항
인 문 계 열				1. 답안지는 **흑색** 으로 원고지 사용법에 따라 작성하여야 합니다.
성 명		⓪①②③④⑤⑥⑦⑧⑨	⓪①②③④⑤⑥⑦⑧⑨	2. 수험번호와 생년월일을 숫자로 쓰고 컴퓨터용 사인펜으로 ● 표기하여야 합니다.
				3. **답안의 작성영역**을 벗어나지 않도록 각별히 유의 바라며, 인적사항 및 답안과 관계없는 표기를 하는 경우 **결격처리** 될 수 있습니다.
				※ 감독관 확인란

【1번】 답안 **(반드시 해당 문제와 일치하여야 함)**

40

80

120

160

200

240

280

320

360

400

440

이 줄 아래에 답안을 작성하거나 낙서할 경우 판독이 불가능하여 채점 불가

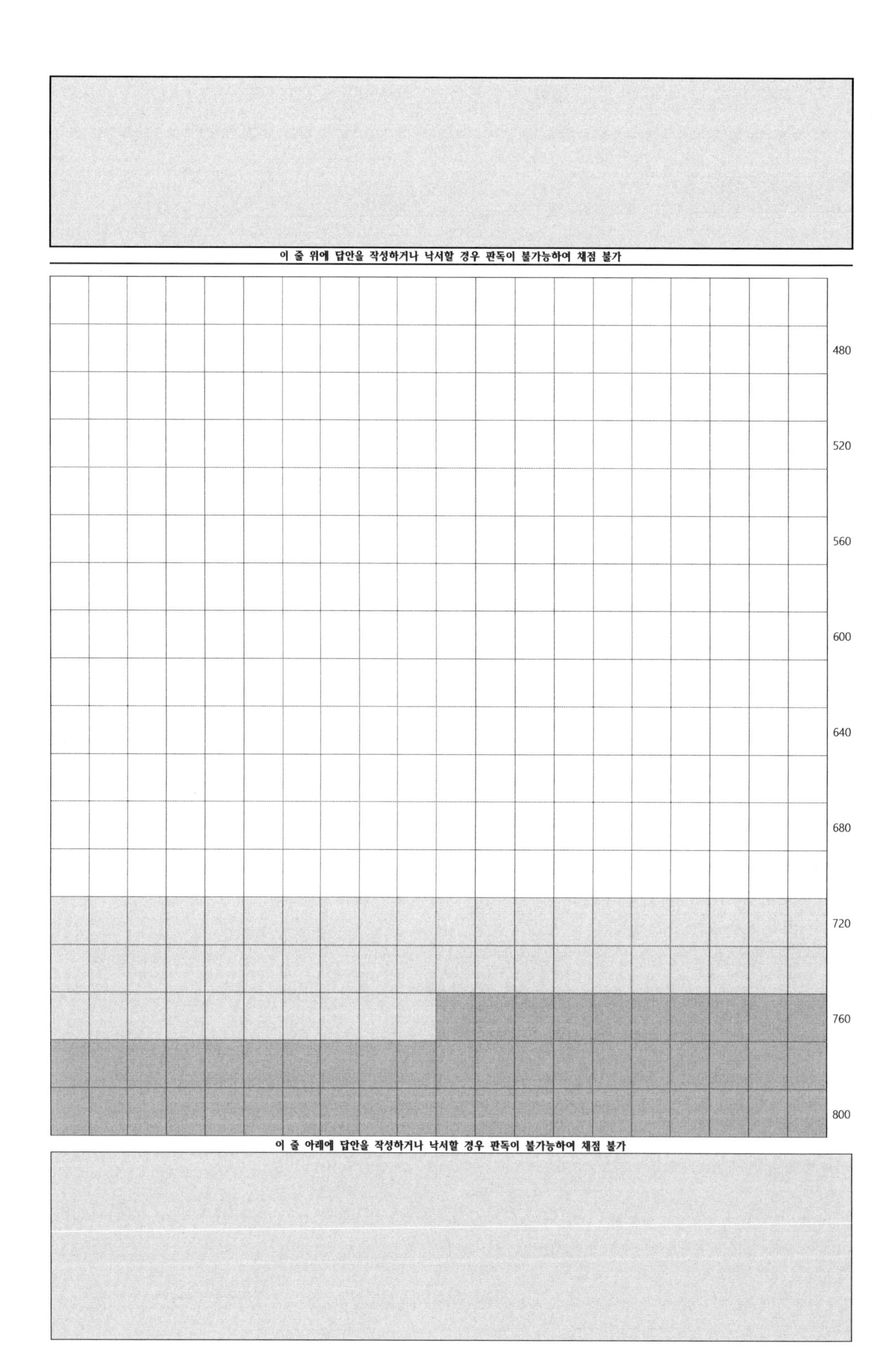
이 줄 위에 답안을 작성하거나 낙서할 경우 판독이 불가능하여 채점 불가
480
520
560
600
640
680
720
760
800
이 줄 아래에 답안을 작성하거나 낙서할 경우 판독이 불가능하여 채점 불가

이 줄 위에 답안을 작성하거나 낙서할 경우 판독이 불가능하여 채점 불가

【2번】 답안 (반드시 해당 문제와 일치하여야 함)

40
80
120
160
200
240
280
320
360
400
440

이 줄 아래에 답안을 작성하거나 낙서할 경우 판독이 불가능하여 채점 불가

이 줄 위에 답안을 작성하거나 낙서할 경우 판독이 불가능하여 채점 불가

480

520

560

600

640

680

720

760

800

이 줄 아래에 답안을 작성하거나 낙서할 경우 판독이 불가능하여 채점 불가

10. 2021학년도 경기대 수시 논술 A형

[문항 1] <가>에서 ㉠의 아름다움이 의미하는 바를 서술하고, 이를 바탕으로 <나>에서 ㉡의 시적 의미를 해석하시오. (700 ± 50자)

<가>

음악 선생이 피아노 반주를 시작한 후, 우리는 엇박자 D의 진면목을 처음 알게 됐다. 그는 놀라울 정도의 박치이자 음치였다. 음악이 시작되고, 아이들은 모두 열심히 노래를 불렀다. 그러나 시간이 지나면서 아이들의 표정이 일그러지기 시작했다. 노래와 목소리 사이에서 뭔가 불길한 기운이 꿈틀거리고 있었다. 그 불길한 기운은 순식간에 아이들의 목소리를 집어삼켰다. 다섯 소절쯤 지나자 노래는 엉망진창이 되었다.

"야, 아무리 편안한 맛에 들어왔다지만 그래도 명색이 합창단인데 노래를 이렇게 못할 수가 있냐?"

음악 선생은 반주를 멈추고 화를 냈다. 처음부터 다시 불러 보았지만 불길한 기운은 사라지지 않았다. 세 번째에야 선생님은 그 불길한 기운을 감지했다.

"잠깐, 이 목소리 누구야? 계속 불러 봐."

음악 선생은 세 줄로 서 있던 22명의 아이들 앞을 천천히 걸었다. 모두들 긴장했다. 내 노래 실력이 합창을 망칠 정도는 아니라는 생각과 그래도 혹시 나일지 모른다는 불안감이 아이들의 노래에 배어났다. 불안한 마음이 부르는 노래는, 이미 노래가 아니었다.

"단장, 이거 네 목소리 아냐? 모두 멈추고 단장 혼자 불러 봐."

엇박자 D의 노래는 들어 줄만 했다. 부드러운 느낌도 잘 살아 있었고, 박자도 이상하지 않았다. 음악 선생은 고개를 갸웃거렸다. 뭔가 이상하긴 한데 어느 부분이 어느 정도로 이상한지, 고치려면 어떻게 해야 하는 것인지, 답을 말해 줄 수가 없었던 것이다.

다시 합창을 시도해 봤지만 결과는 마찬가지였다. 엇박자 D의 목소리만 들리면 아이들은 갈피를 잡지 못했고, 음은 뒤죽박죽이 됐으며 박자는 제멋대로 변했다. 그의 목소리는 전파력이 강한 바이러스였다. 음악 선생은 엇박자 D에게 자진 사퇴를 권했지만 그는 받아들이지 않았다. 축제 때 합창단에서 노래를 부를 것이라는 광고를 여러 곳에 해 두었다는 것이 이유였다.

"좋아, 대신 넌 절대 소리 내지 마. 그냥 입만 벙긋벙긋하는 거야. 알았지?"

[중략된 부분의 줄거리]

엇박자 D는 합창 중에 자기의 목소리를 내게 되고, 결국 공연은 실패한다. 마음에 깊은 상처를 받았던 엇박자 D는 대학 시절 무성 영화를 전공하면서 접하게 된 <소리의 전시회>라는 무성 영화에서 영감을 얻어, 음치들에 대한 연구를 시작한다. 20년 만에 나와 재회하게 된 엇박자 D는 음치들의 노래를 모티프로 하는 공연 기획을 제안한다.

"나는 음치라네, 노래 부르고 다니는 것도 아닌데 음치를 어떻게 찾아?"
"쉽진 않았지. 주위 사람들에게 물어보기도 했고 노래방 아르바이트를 하면서 방마다 귀를 들이대기도 했어. 그렇게 음치들을 찾아내면 무반주로 부르는 노래를 녹음했어. 웃기는 게 뭔지 알아? 나는 음악 선생에게 맞기 전까지 단 한 번도 내가 음치라고 생각해 본 적이 없었어. 그런데 대부분의 음치들은 자신이 음치라고 생각하더라. 자신이 알아낸 게 아니고 들어서 아는 거지. 평생 그렇게 세뇌를 당하는 거야. 나는 음치다, 나는 음치다."
엇박자 D의 이야기를 들을수록 마음이 불편했다. 너무 오래된 이야기이기 때문인지, 아니면 엇박자 D의 인생 역정 출연진에 내가 포함돼 있기 때문인지 알 수 없었다. 듣고 싶지 않은 이야기였다. 많은 시간이 지났다. 그때 엇박자 D를 때렸던 음악 선생은 대가를 톡톡히 치렀지만, 어쩌면 옆에 있던 우리들도 그의 뺨을 함께 때렸던 것인지도 모르겠다. 그랬다면 미안한 일이다. 기억이 잘 나지 않는다. 미안한 마음을 느끼기엔 시간이 너무 많이 지났다.
"공연 기획을 하고 싶어 하는 이유는 뭐야?"
"짧게 말하자면, 내가 음치가 아니란 걸 보여주고 싶은 거야."

<중략>

아주 작게 들리던 음악소리가 조금씩 커졌다. 스피커에서 흘러나온 음악은 관객들 사이로 서서히 스며들었다. 누군가의 노래였다. 아무런 반주도 없이 누군가 노래를 부르고 있었다. 어디선가 들어 본 노래였다. 그제야 노래의 제목이 생각났다. 20년 전 축제 때 우리가 불렀던 바로 그 노래였다. 노래를 부르는 사람이 누군지는 알 수 없었다. 나나 친구들의 목소리는 아니었다. 엇박자 D의 목소리도 아니었다. 한 사람의 목소리가 두 사람의 목소리로 바뀌었다. 두 사람의 목소리가 세 사람의 목소리로 바뀌었고, 네 사람, 다섯 사람의 목소리로 바뀌었다. 합창을 하고 있었다. 하지만 합창이라고 하기에는 서로의 음이 맞질 않았다. 박자도 일치하지 않았다.
"22명의 음치들이 부르는 20년 전 바로 그 노래야. 내가 제일 좋아하는 음치들의 목소리로만 믹싱한 거니까 즐겁게 감상해줘."
무선 헤드셋에서 다시 엇박자 D의 목소리가 들렸다. 조명은 하나도 켜지질 않았다. 완전한 어둠 속에서 노래가 흘러나오고 있었다. 어둠 속이어서 그런 것일까. **㉠노래는 아름다웠다. 서로의 음이 달랐지만 잘못 부르고 있다는 느낌은 들지 않았다. 마치 화음 같았다.** 어둠 속이어서 그럴지도 모른다. 음치들의 노래는 어두운 방에서 전원 스위치를 찾는 왼손처럼 더듬더듬 어디론가 내려앉았다. 아무도 웃지 않았다. 몇몇 관객은 후렴을 따라 부르기까지 했다. 1절이 끝나자 피아노 소리가 들렸다. 그리고 조명이 켜졌다. 더블더빙이 간주를 연주했고, 관객들의 박수가 터져 나왔다. 몇몇은 휘파람을 불었고, 누군가 브라보를 외쳤다.

김중혁, <엇박자 D>, 『고등학교 국어』

<나>

숲을 멀리서 바라보고 있을 때는 몰랐다
나무와 나무가 모여
어깨와 어깨를 대고
숲을 이루는 줄 알았다
나무와 나무 사이
넓거나 좁은 간격이 있다는 걸
생각하지 못했다
벌어질 대로 최대한 벌어진,
한데 붙으면 도저히 안 되는,
기어이 떨어져 서 있어야 하는,
ⓛ **나무와 나무 사이**
그 간격과 간격이 모여
울울창창(鬱鬱蒼蒼) 숲을 이룬다는 것을
산불이 휩쓸고 지나간
숲에 들어가 보고서야 알았다

안도현, <간격>, 『고등학교 문학』

[문항 2] <가>와 <나>의 상황에서 기후 문제를 정의의 문제로 보아야 하는 이유를 설명하고, 기후 정의의 시각에서 <다> 한스 요나스의 관점이 갖는 의미를 서술하시오. (700 ± 50자)

<가>

국제 연합(UN)은 나날이 심각해지는 지구 온난화 문제를 해결하기 위해 1992년 기후 변화 협약을 채택하였고, 이에 가입한 당사국은 1997년 일본 교토에서 열린 제3차 당사국 총회에서 '교토 의정서'를 채택하였다. 그러나 세계 최대 온실가스 배출국인 미국이 의무 감축 대상에서 중국·인도 등이 제외되어 있다는 이유로 교토 의정서 비준을 거부하자, 일본·캐나다·러시아 등도 잇따라 기간 연장에 불참하면서 교토 의정서 체제는 사실상 유명무실화되었다. 이에 세계는 다시 새로운 기후 변화 체제를 모색하였는데, 그 결과가 바로 2015년 12월 제21차 당사국 총회에서 결의한 '파리 협정'이다. 파리 협정은 195개 선진국과 개발 도상국 모두가 온실가스 감축에 동참하기로 한 최초의 세계적 기후 합의이다. 온실가스 배출 1, 2위인 중국과 미국은 물론 전 세계 국가가 전 지구적인 기후 변화 대응에 참여한다는 선언에 동참하였다는 데 큰 의미가 있다. 그러나 2017년 6월, 미국의 탈퇴 선언으로 새로운 국면을 맞이하였다.

『고등학교 사회·문화』

<나>

기후 변화 현상은 지역에 따라 미치는 영향도 다르고, 해당 국가의 경제력에 따라 대처할 수 있는 역량도 다르다. 네덜란드처럼 물에 뜨는 집을 지어 대처할 수 있는 나라가 있는가 하면, 방글라데시처럼 흙과 짚으로 지은 집이 홍수로 떠내려가 버리는 곳도 있다. 이처럼 기후 변화로 인한 피해가 특정 국가나 특정 계층에게 더 크게 발생한다면, 이를 단순한 자연 현상이 아닌 사회 구조적 문제로 보아야 한다. 오늘날 기후 변화는 그 발생에 대해 책임이 거의 없는 국가들이 도리어 위험에 노출되는 현상, 즉 '기후 불평등'을 야기하고 있다.

『고등학교 생활과 윤리』

<다>

한스 요나스는 인류가 존재해야 한다는 당위적 요청을 근거로 인류 존속에 관한 현 세대의 책임을 강조하였다. 그에 따르면 우리의 책임은 일차적으로 미래 세대의 존속을 보장하는 것이며, 이차적으로는 그들의 삶의 질을 배려하는 것이다. 그는 이러한 책임의 원칙을 다음과 같은 정언명령으로 표현하였다.

- 너의 행위의 효과가 지상에서의 진정한 인간적 삶의 지속과 조화될 수 있도록 행위하라.
- 너의 행위의 효과가 인간 생명의 미래의 가능성에 관해 파괴적이지 않도록 행위하라.

『고등학교 생활과 윤리』

계열	지원학과	수험번호	생년월일(예:041123)	유의사항
인문계열				1. 답안지는 흑색 으로 원고지 사용법에 따라 작성하여야 합니다. 2. 수험번호와 생년월일을 숫자로 쓰고 컴퓨터용 사인펜으로 ● 표기하여야 합니다. 3. 답안의 작성영역을 벗어나지 않도록 각별히 유의 바라며, 인적사항 및 답안과 관계없는 표기를 하는 경우 결격처리 될 수 있습니다.

성명

※ 감독관 확인란

【1번】 답안 (반드시 해당 문제와 일치하여야 함)

40

80

120

160

200

240

280

320

360

400

440

이 줄 아래에 답안을 작성하거나 낙서할 경우 판독이 불가능하여 채점 불가

이 줄 위에 답안을 작성하거나 낙서할 경우 판독이 불가능하여 채점 불가

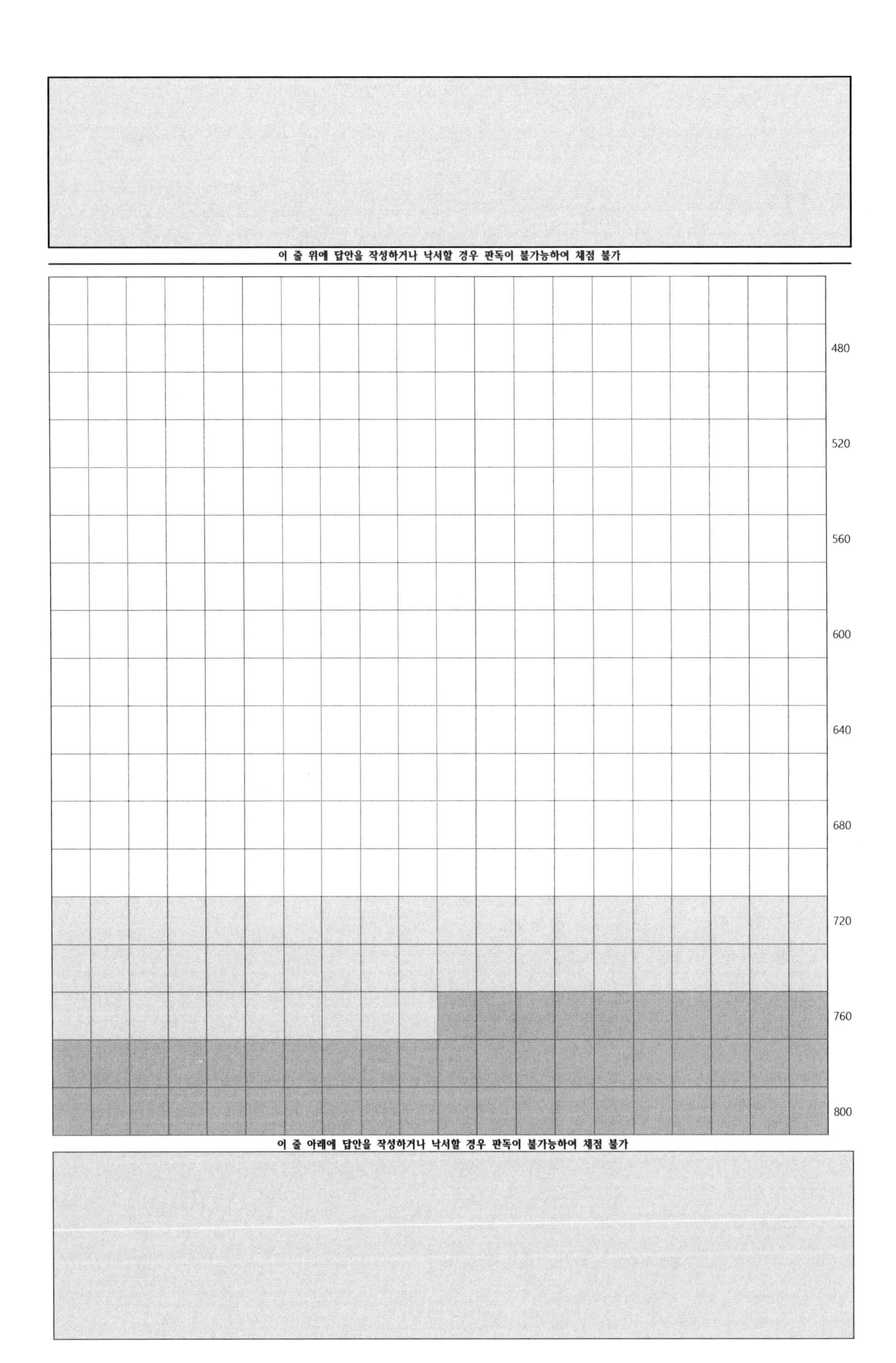

이 줄 아래에 답안을 작성하거나 낙서할 경우 판독이 불가능하여 채점 불가

이 줄 위에 답안을 작성하거나 낙서할 경우 판독이 불가능하여 채점 불가

【2번】 답안 (반드시 해당 문제와 일치하여야 함)

40

80

120

160

200

240

280

320

360

400

440

이 줄 아래에 답안을 작성하거나 낙서할 경우 판독이 불가능하여 채점 불가

이 줄 위에 답안을 작성하거나 낙서할 경우 판독이 불가능하여 채점 불가

480

520

560

600

640

680

720

760

800

이 줄 아래에 답안을 작성하거나 낙서할 경우 판독이 불가능하여 채점 불가

11. 2021학년도 경기대 수시 논술 B형

[문항 1] <다>를 참고하여 <가>와 <나>가 추구하고 있는 삶의 가치를 밑줄 친 ㉠과 ㉡을 중심으로 각각 서술해 보시오. (700± 50자)

<가>

네 집에서 그 샘으로 가는 길은 한 길이었습니다. 그래서 새벽이면 물 길러 가는 인기척을 들을 수 있었지요. 서로 짠 일도 아닌데 새벽 제일 맑게 고인 물은 네 집이 돌아가며 길어 먹었지요. 순번이 된 집에서 물 길어 간 후에야 똬리 끈 입에 물고 삽짝 들어서시는 어머니나 물지게 진 아버지 모습을 볼 수 있었지요. 집안에 일이 있으면 그 순번이 자연스럽게 양보되기도 했었구요. 넉넉하지 못한 물로 사람들 마음을 넉넉하게 만들던 ㉠**그 샘가 미나리꽝에서는 미나리가 푸르고 앙금 내리는 감자는 잘도 썩어 구린내 훅 풍겼지요.**

함민복, <그 샘>, 『고등학교 문학』

<나>

귀퉁이 한 조각이 떨어져나가 온전치 못한 동그라미가 있었다. 동그라미는 너무 슬퍼서 잃어버린 조각을 찾기 위해 길을 떠났다. 여행을 하며 동그라미는 노래를 불렀다.

"나의 잃어버린 조각을 찾고 있지요. 잃어버린 내 조각 어디 있나요."

때로는 눈에 묻히고 때로는 비를 맞고 햇볕에 그을리며 이리저리 헤맸다. 그런데 한 조각이 떨어져 나갔기 때문에 빨리 구를 수가 없었다. 그래서 힘겹게, 천천히 구르다가 멈춰 서서 벌레와 대화도 나누고, 길가에 핀 꽃 냄새도 맡았다. 어떤 때는 딱정벌레와 함께 구르기도 하고, 나비가 머리 위에 내려앉기도 했다.

오랜 여행 끝에 드디어 몸에 꼭 맞는 조각을 만났다. 이제 완벽한 동그라미가 되어 이전보다 몇 배 더 빠르고 쉽게 구를 수 있었다. 그런데 떼굴떼굴 정신없이 구르다 보니 벌레와 얘기하기 위해 멈출 수가 없었다. 꽃 냄새를 맡을 수 없었고, 휙휙 지나가는 동그라미 위로 나비가 앉을 수도 없었다. 노래를 부르려고 했지만 너무 빨리 구르다 보니 숨이 차서 부를 수가 없었다. 한동안 가다가 동그라미는 구르기를 멈추고, 찾았던 조각을 살짝 내려놓았다. 그리고 다시 한 조각이 떨어져 나간 몸으로 천천히 굴러가며 노래했다.

"내 잃어버린 조각을 찾고 있어요."

㉡ **나비 한 마리가 동그라미의 머리 위에 내려앉았다.**

셸 실버스타인, <잃어버린 조각>, 『고등학교 독서』

<다>

문학의 역할은 인간을 탐구함으로써 다양한 삶의 의미와 가치를 찾는 데 있다. 우리는 문학 작품을 읽으며 인간과 세계를 깊이 이해하게 되고, 삶의 의미를 성찰하며,

정서적·미적으로 삶이 고양되는 경험 등을 하게 된다. 이러한 문학의 기능 가운데 인간이 지향해야 할 바람직한 삶의 의미나 가치를 깨닫게 하는 것이 문학의 윤리적 기능이다. 우리는 문학 작품을 읽으면서 삶의 태도와 가치관을 점검하고 좀 더 이상적인 삶을 지향하게 된다. 이로써 개인의 삶의 질이 향상 될 뿐 아니라 자신이 속한 사회를 새롭게 성찰하고 바람직한 방향으로 개선하려는 실천 의지를 갖게 된다.

『고등학교 문학』

[문항 2] <가>의 '착한 사마리아인 법'의 입법 취지를 <나>를 참고하여 서술하고, 이 법을 <다>의 맹자의 관점에서 평가해 보시오. (700± 50자)

<가>

착한 사마리아인 법은 자신에게 특별한 위험을 발생시키지 않는데도 불구하고 곤경에 처한 사람을 구해 주지 않은 행위를 처벌하는 법이다. 이는 강도를 당하여 길에 쓰러진 유대인을 보고 당시 사회의 상류층인 제사장과 레위인은 모두 그냥 지나쳤으나 유대인과 적대 관계인 사마리아인이 구해 주었다는 『신약 성서』의 이야기에서 유래한 명칭이다. 세계 여러 나라에서는 제사장과 레위인과 같은 행위를 구조거부죄 또는 불구조죄로 처벌한다. 예를 들면, 프랑스는 자기 또는 제3자의 위험을 초래하지 않고 위험에 처한 다른 사람을 구조할 수 있음에도 불구하고 고의로 구조하지 않은 자에 대하여 5년 이하의 구금 및 7만 5,000유로의 벌금에 처한다. 이밖에 폴란드·독일·포르투갈·스위스·네덜란드·이탈리아·노르웨이·덴마크·벨기에·러시아·루마니아·헝가리·중국도 구조거부 행위를 처벌한다.

『고등학교 윤리와 사상』

<나>

형법은 특정 행동을 범죄로 규정함으로써 사회적으로 중요하다고 생각되는 주요한 가치들을 보호한다. 이렇게 형법에 의해 보호되는 가치를 '법익'이라고 한다. 예를 들어 "사람을 살해한 자는 사형, 무기 또는 5년 이상의 징역에 처한다."라는 살인죄(형법 제250조 제1항)의 법익은 사람의 '생명'이다. 범죄는 보통 적극적으로 어떤 행위를 한 결과 성립하는 것이 일반적이지만, 반대로 아무 행위도 하지 않았기 때문에 범죄가 성립할 수도 있다. 이런 경우를 부작위범이라 한다. 부작위범은 어떤 상황에서 특정한 행위가 기대되고, 이를 법적으로도 강제할 필요가 있다는 데 대한 사회적 합의와 법적 뒷받침이 있는 때 인정될 수 있다.

『고등학교 정치와 법』

<다>

어린아이가 우물로 기어 들어가는 것을 보고 측은해하면서도 가서 구하지 않는다면, 그 마음만으로 인(仁)이라 할 수 없을 것이다. 누군가 욕을 하거나 발로 차면서 밥을 줄 때 이를 수치스러워하면서도 버리고 가지 않는다면, 그 마음만으로 의(義)라 할 수 없을 것이다. 귀한 손님이 대문 앞에 왔을 때 공경하면서도 마중을 나가지 않는다면, 그 마음만으로 예(禮)라 할 수 없을 것이다. 착한 사람이 억울한 일을 당한 것을 보고 부당하다고 여기면서도 옳고 그름에 대한 태도가 뚜렷하지 못하다면, 그 마음만으로 지(智)라 할 수 없을 것이다. 이를 통해 측은 · 수오 · 사양 · 시비의 마음은 인간 본성에 고유한 것이지만, 인·의·예·지는 측은 · 수오 · 사양 · 시비의 확충이라는 것을 알 수 있다. 이처럼 맹자는 사람에게 도덕적 인간이 될 수 있는 네 가지 마음의 단서(사단)가 있으며, 이것이 각각 인의예지를 실현할 수 있는 실마리라고 하였다. 따라서 맹자는 형벌로 선(善)을 강제하는 패도 정치를 비판하고, 통치자 스스로 인의예지를 실현함으로써 백성을 교화하는 왕도 정치를 이상적 정치라 하였다.

『고등학교 윤리와 사상』

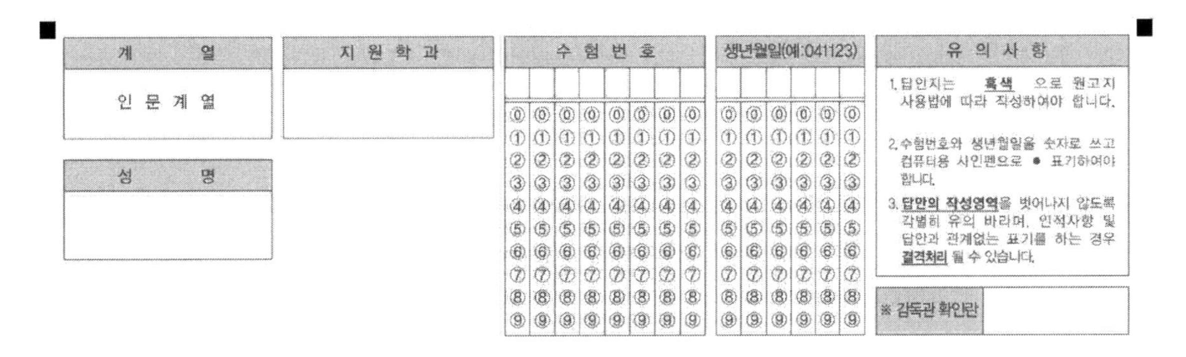
계 열
인 문 계 열
지 원 학 과
수 험 번 호
생년월일(예:041123)
유 의 사 항
1. 답인지는 흑색 으로 원고지 사용법에 따라 작성하여야 합니다.
2. 수험번호와 생년월일을 숫자로 쓰고 컴퓨터용 사인펜으로 ● 표기하여야 합니다.
3. 답안의 작성영역을 벗어나지 않도록 각별히 유의 바라며, 인적사항 및 답안과 관계없는 표기를 하는 경우 결격처리 될 수 있습니다.
※ 감독관 확인란
성 명

【1번】 답안 (반드시 해당 문제와 일치하여야 함)

40
80
120
160
200
240
280
320
360
400
440

이 줄 아래에 답안을 작성하거나 낙서할 경우 판독이 불가능하여 채점 불가

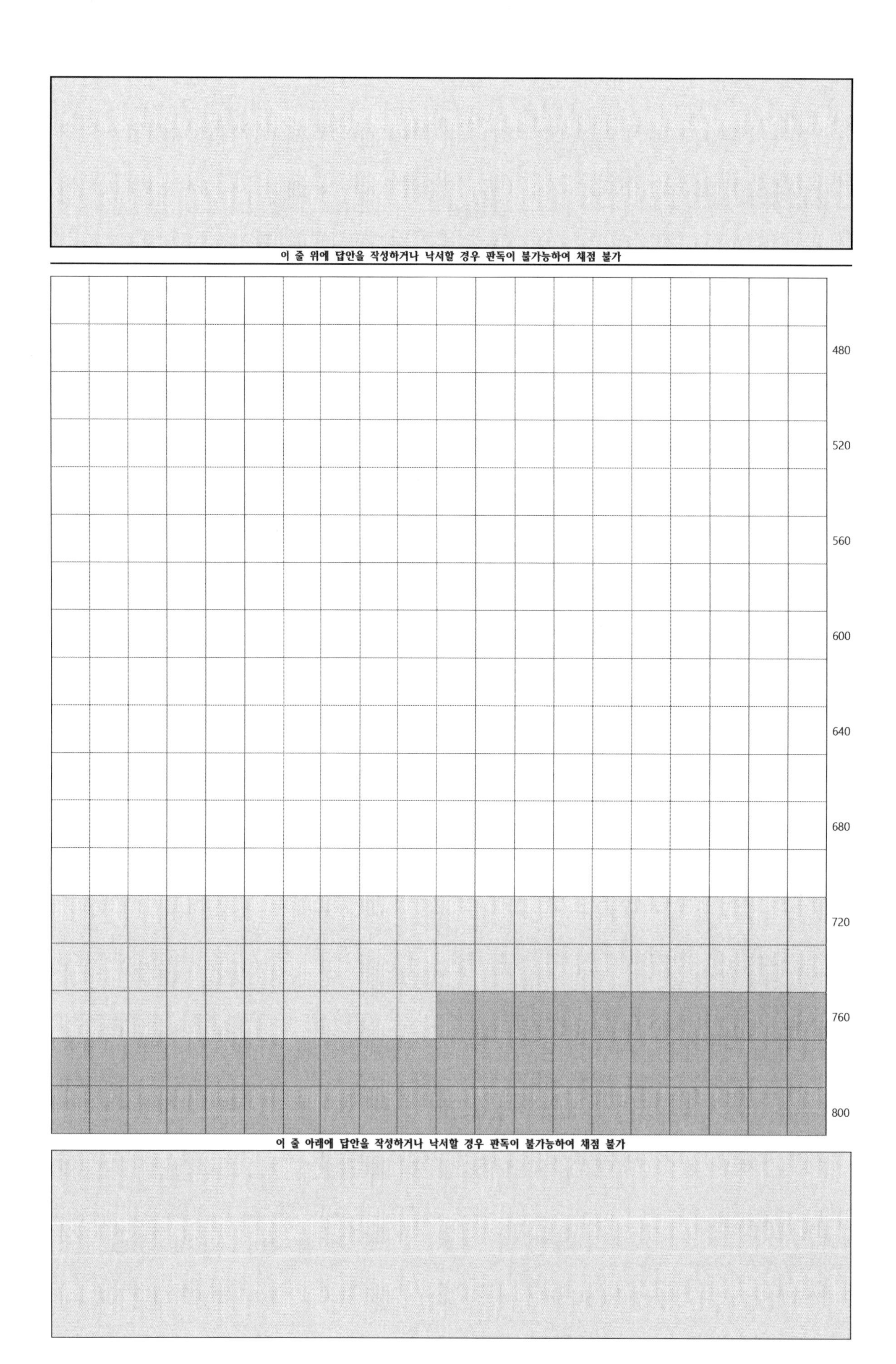
이 줄 위에 답안을 작성하거나 낙서할 경우 판독이 불가능하여 채점 불가
480
520
560
600
640
680
720
760
800
이 줄 아래에 답안을 작성하거나 낙서할 경우 판독이 불가능하여 채점 불가

이 줄 위에 답안을 작성하거나 낙서할 경우 판독이 불가능하여 채점 불가

【2번】 답안 (반드시 해당 문제와 일치하여야 함)

40

80

120

160

200

240

280

320

360

400

440

이 줄 아래에 답안을 작성하거나 낙서할 경우 판독이 불가능하여 채점 불가

이 줄 위에 답안을 작성하거나 낙서할 경우 판독이 불가능하여 채점 불가

480

520

560

600

640

680

720

760

800

이 줄 아래에 답안을 작성하거나 낙서할 경우 판독이 불가능하여 채점 불가

12. 2021학년도 경기대 모의 논술

[문항 1] <가>를 참조하여 <나>의 시적 의미가 어떠한 독창적 상상력을 통해 구현되는지 설명하고, <나>의 관점에서 <다>의 ㉠에 나타난 사람들의 음식에 대한 태도를 논해보시오. (700 ± 50자)

<가>

초현실주의 화가 마그리트가 관심을 끌게 되면서 그의 주된 창작 기법인 데페이즈망(dé paysement)도 덩달아 관심의 대상이 되었다. 데페이즈망은 우리말로 흔히 '전치(轉置)' 번역된다. 이는 특정한 대상을 상식의 맥락에서 떼어 내 전혀 다른 상황에 배치함으로써 기이하고 낯선 장면을 연출하는 것을 말한다. 데페이즈망은 우리로 하여금 현실로부터 쉽게 일탈해 무한한 자유와 공간으로 넘어가게 한다. 그런 점에서 데페이즈망은 현실에 대한 일종의 파괴라고 할 수 있다. 현실의 법칙과 논리를 간단히 무장 해제해 버리는 파괴의 형식이다.

파괴의 형식으로서 데페이즈망은 매우 다양한 색깔을 보여 준다. 데페이즈망이 보여 주는 파괴는 다채롭고 무한하다. 그 말은 데페이즈망에 의한 창조의 형식 또한 다채롭고 무한하다는 뜻이 된다. 프랑스의 미술사가 사란 알렉상드리앙은 마그리트의 그림에 나타난 데페이즈망의 형식을 크게 여섯 가지로 분류했는데, 작은 것을 크게 확대하기, 보완적인 사물을 조합하기, 생명이 없는 것에 생명을 불어넣기, 미지의 차원을 열어 보이기, 생명체를 사물화하기, 해부학적 왜곡이 그것이다. 그런가 하면 미국의 미술가이자 비평가인 수지 개블릭은 사물을 원래의 맥락으로부터 떼어 놓는 고립, 불가능한 것으로 바꾸는 변형, 익숙한 것을 낯설게 만드는 합성, 크기와 위치의 부조화, 우연한 만남, 동음이의적 이중 이미지, 역설, 시공에 관한 경험을 왜곡한 이중 시점을 마그리트가 구사한 대표적인 데페이즈망 기법으로 꼽는다. 파괴의 형식을 대상으로 한 언급이지만 그것이 곧 창조의 형식을 대상으로 한 언급이기도 함을 알 수 있다.

이주헌 논리 , <너머의 낯선 세계가 깨어난다>, 『고등학교 국어』

<나>

어떤 이는 눈망울 있는 것들 차마 먹을 수 없어 채식주의자가 되었다는데 내 접시 위의 풀들 깊고 말간 천 개의 눈망울로 빤히 나를 쳐다보기 일쑤, 이 고요한 사냥감들에도 핏물 자박거리고 꿈틀거리며 욕망하던 뒤안 있으니 내 앉은 접시나 그들 앉은 접시나 매일반 천. 년 전이나 만 년 전이나 생식을 할 때나 화식을 할 때나 육식이나 채식이나 매일반.

문제는 내가 떨림을 잃어 간다는 것인데, 일테면 만 년 전의 내 할아버지가 알락꼬리암사슴의 목을 돌도끼로 내려치기 전 두렵고, 고마운 마음으로 올리던 기도가 지금 내게 없고 (시장에도 없고) 내 할머니들이 돌칼로 어린 죽순 밑동을 끊어 내는 순간, 고맙고 미안해하던 마음의 떨림이 없고 (상품과 화폐만 있고) 사뭇 괴로운 포즈만 남았다는 것.

내 몸에 무언가 공급하기 위해 나 아닌 것의 숨을 끊을 때 머리 가죽부터 한 터럭 뿌리까지 남김없이 고맙게 두렵게, 잡숫는 법을 잃었으니 이제 참으로 두려운 것은 내 올라앉은 육중한 접시가 언제쯤 깨끗하게 비워질 수 있을지 장담할 수 없다는 것. 도대체 이 무거운, 토막 난 몸을 끌고 어디까지!

김선우, <깨끗한 식사>, 『고등학교 문학』

<다>

처음 우리 앞에 놓인 것은 탕평채였다. 가늘게 채 썬 묵청포와 표고버섯, 쇠고기를 버무린 정갈한 음식이었다. 그때까지 한마디의 말도 없이 자리를 지키고 있던 아내는 웨이터가 자신의 접시에 탕평채를 덜어 놓으려고 국자를 드는 찰나 작은 목소리로 말했다.

"저는 안 먹을게요."

아주 작은 목소리였지만 좌중의 움직임이 멈췄다. 의아해하는 시선들을 한 몸에 받은 그녀는 이번엔 좀 더 큰 소리로 말했다.

"저는, 고기를 안 먹어요."

"그러니까, 채식주의자시군요?"

사장이 호탕한 어조로 물었다.

㉠

"외국에는 엄격한 채식주의자들이 더러 있죠. 우리나라에선 이제 좀 형성돼 가는 것 같아요. 특히 요즘엔 언론에서 하도 육식을 공격해 대니…… 오래 살려면 고기를 끊어야 한다는 생각을 하게 되는 것도 무리가 아니죠."

"아무리 그래도, 고기를 아주 안 먹고 살 수 있나요?"

사장 부인이 미소 띤 얼굴로 말했다.

아내의 접시가 하얗게 빈 채 남아 있는 동안, 웨이터는 나머지 아홉 사람의 접시를 모두 채운 뒤 사라졌다. 화제는 자연스럽게 채식주의로 흘러갔다.

"얼마 전에 오십만 년 전 인간의 미라가 발견됐죠. 거기에도 수렵의 흔적이 있었다는 것 아닙니까. 육식은 본능이에요. 채식이란 본능을 거스르는 거죠. 자연스럽지가 않아요."

"요샌 사상 체질 때문에 채식하는 분들도 있는 것 같던데…… 저도 체질을 알아보려고 몇 군데 가 봤더니 가는 데마다 다른 얘길 하더군요. 그때마다 식단을 바꿔 짜 봤지만 항상 마음이 불편하고 그저…… 골고루 먹는 게 최선이 아닌가 하는 생각이 들어요."

"골고루, 못 먹는 것 없이 먹는 사람이 건강한 거 아니겠어요. 신체적으로나, 정신적으로나 원만하다는 증거죠."

아까부터 아내의 가슴을 흘끔거리고 있던 전무 부인이 말했다.

<중략>

"다행이네요. 저는 아직 진짜 채식주의자와 함께 밥을 먹어 본 적이 없어요. 내가 고기를 먹는 모습을 징그럽게 생각할지도 모를 사람과 밥을 먹는다면 얼마나 끔찍할까. 정신적인 이유로 채식을 한다는 건, 어찌 됐든 육식을 혐오한다는 거 아녜요? 안 그래요?"

"꿈틀거리는 세발낙지를 맛있게 젓가락에 말아 먹고 있는데, 앞에 앉은 여자가 짐승 보듯 노려 보고 있는 것과 비슷한 기분이겠죠."

좌중이 웃음을 터뜨렸다.

한강, <채식주의자>, 『고등학교 문학』

[문항 2] <가>의 주장을 <나>와 <다>를 참고하여 비판해 보고 이를 바탕으로 <라>의 기본 소득 제도가 갖는 의의를 논술하시오. (700 ± 50자)

<가>

아래 내용은 소유 권리의 원칙에 대한 주장이다.

1. 취득의 원칙 : 재화의 최초 취득이 합법적이고 정의로워야 한다.
2. 이전의 원칙 : 1을 통해 획득한 재화는 자유로운 개인들 간의 교환을 통해 이전될 때 정의롭다
3. 부정의 교정 원칙 :1, 2를 따르지 않은 부당한 취득은 교정되어야 한다.

고등학교 『생활과 윤리』

<나>

아래 표는 한국보건사회연구원에서 2013년에 발표한 암 환자 미치료율과 그 이유로서 경제적 요인을 소득 수준에 따라 나타낸 것이다.

구분	소득 수준			
	하	중하	중상	상
미치료율(%)	21.2	20.4	17.2	15.5
경제적 이유(%)	29.9	18.2	10.5	6.2

고등학교 『사회』

<다>

인간 사회는 분배 공동체라고 볼 수 있습니다. 분배적 정의와 관련된 모든 가치는 사회적 가치라고 봅니다. 사회적 가치는 각 공동체의 역사적이고 문화적인 소산으로 공동체 안에는 고유한 사회적 가치들이 존재합니다. 사회적 가치들은 사회적으로 공유되는 의미에 따라 고유한 영역을 갖습니다. 예를 들어 부는 경제 영역의 권력은 정치 영역의 사회적 가치입니다. 각각의 사회적 가치들이 자신의 고유한 영역 안에 머무름으로써 다원적 평등이 실현될 때 정의로운 사회가 된다고 생각합니다. 어떤 영역에서 우월한 위치를 차지한 사람이 그 위치를 이용하여 다른 영역의 가치까지 쉽게 소유해서는 안 됩니다. 이는 서로 다른 사회적 가치는 서로 다른 원칙과 절차 그리고 서로 다른 주체에 따라 분배되어야 함을 의미합니다. 경제 활동에서 성공했다는 이유로 권력까지 장악하는 것은 정의롭지 못합니다.

고등학교 『사회』

<라>

기본 소득 제도는 (basic income), 소득이나 재산이 많든 적든 일하든 하지 않든 정부가 모든 국민에게 똑같이 일정 금액을 지급하는 제도이다. 기본 소득 제도는 세 가지 관점에서 현재 대부분의 나라에서 시행되고 있는 사회 보장 제도와 다르다. 첫째 기본 소득은 가구가 아니라 개인에게 지급된다. 둘째 다른 소득의 여부와 관계없이 지급된다. 셋째 기본 소득을 받기 위해 취업하려는 의지가 있다거나 노동을 했다는 등의 증명이 필요없다.

고등학교 『사회』

계 열	지 원 학 과	수 험 번 호	생년월일(예:041123)	유 의 사 항
인 문 계 열		⓪①②③④⑤⑥⑦⑧⑨	⓪①②③④⑤⑥⑦⑧⑨	1. 답안지는 **흑색** 으로 원고지 사용법에 따라 작성하여야 합니다. 2. 수험번호와 생년월일을 숫자로 쓰고 컴퓨터용 사인펜으로 ● 표기하여야 합니다. 3. **답안의 작성영역**을 벗어나지 않도록 각별히 유의 바라며, 인적사항 및 답안과 관계없는 표기를 하는 경우 **결격처리** 될 수 있습니다.
성 명				※ 감독관 확인란

【1번】 답안 (반드시 해당 문제와 일치하여야 함)

40

80

120

160

200

240

280

320

360

400

440

이 줄 아래에 답안을 작성하거나 낙서할 경우 판독이 불가능하여 채점 불가

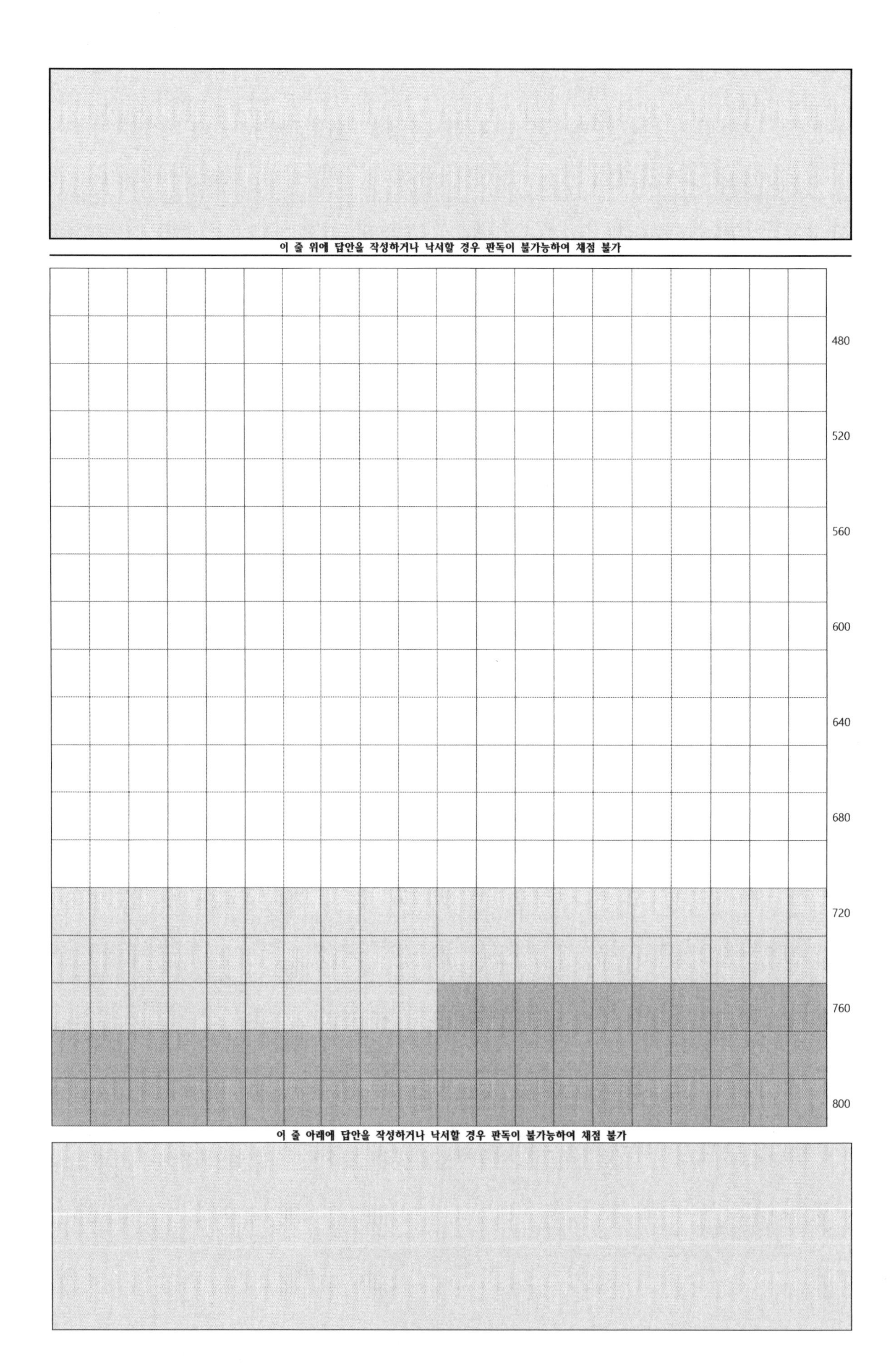
이 줄 위에 답안을 작성하거나 낙서할 경우 판독이 불가능하여 채점 불가
480
520
560
600
640
680
720
760
800
이 줄 아래에 답안을 작성하거나 낙서할 경우 판독이 불가능하여 채점 불가

이 줄 위에 답안을 작성하거나 낙서할 경우 판독이 불가능하여 채점 불가

【2번】 답안 (반드시 해당 문제와 일치하여야 함)

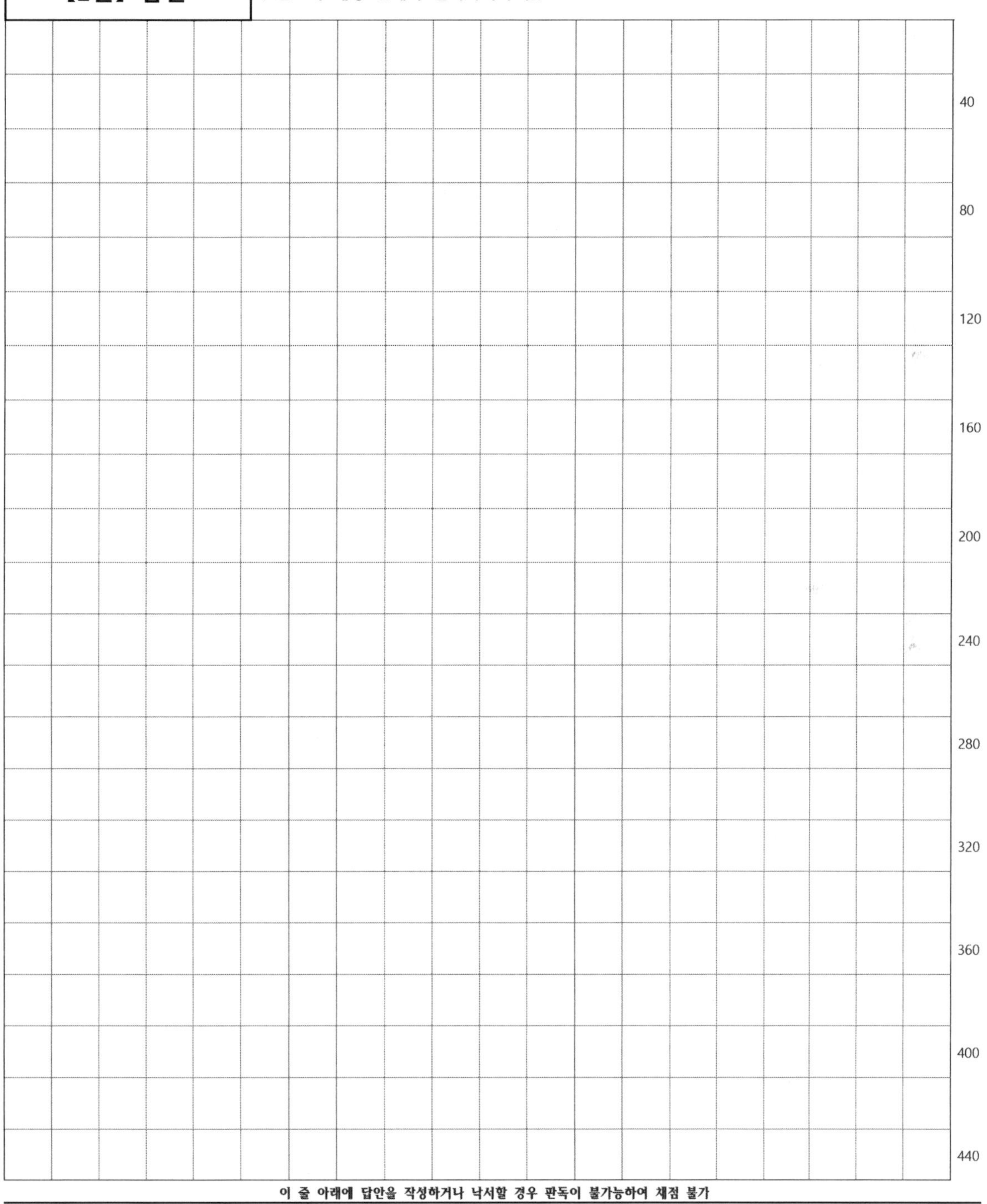

이 줄 아래에 답안을 작성하거나 낙서할 경우 판독이 불가능하여 채점 불가

이 줄 위에 답안을 작성하거나 낙서할 경우 판독이 불가능하여 채점 불가

480
520
560
600
640
680
720
760
800

이 줄 아래에 답안을 작성하거나 낙서할 경우 판독이 불가능하여 채점 불가

VI. 예시 답안

1. 2025학년도 경기대 예시 논술

[문항 1] [언어] <가>에서 ㉠천사와 ㉡인간이 어떤 점에서 대비되고 있는지 설명하고, 저자가 인간을 긍정하는 이유를 서술하시오. (450 ± 50자)

제시문 <가>에서 ㉡ 인간은 반복할 수 없는 한 번뿐인 짧은 삶을 산다. 그로 인해 완벽하지 않은 기억, 사유, 상상, 표현을 가지며 유한한 조건에 있다. 이러한 유한함은 인간이 가진 삶을 더 큰 가치로 여기게 된다. 시간이 흘러 돌이킬 수 없는 지나간 삶을 성찰하고, 아주 짧지만 유한하기 때문에 가치는 더욱 아름답고 위대하다. 이에 반해 ㉠의 천사는 완벽한 존재이다. 그래서 시간에 제한을 받을 필요도 없으며, 완벽한 삶에서는 성찰도 상상도 필요없다. 그러므로 불안전한 인간의 삶은 유한해 가치를 지니며 순간순간 더욱 소중한 것이다.

인간은 완벽하지 못하다. 완벽하지 못한 불완전한 삶을 인정하면 유한함을 알게 되고, 짧은 순간의 소중함을 알아가면서 위대함을 느끼게 된다. 이를 통해 제한되고 반복할 수 없으면 완벽하지 못한 소중한 삶을 지켜나갈 수 있다. (427자)

<집필자 검토 예시답안>

[문항 2] [사회] <나>의 ㉢의 관점에서 <가>의 ㉠을 비판하고, <다>의 역사적 사건들이 갖는 의의를 통해 <가>의 ㉡을 지지해 보시오. (700 ± 50자)

제시문 <나>의 ㉢은 전통에 대해 새로운 관점을 제시하고 있다. 전통은 단순히 물려받는 것이 아니라 현대 사회의 관점에 적합한 현대적인 평가에 재탄생된 것이다. 전통은 인간에 의해 선별되어 변화되어 가는 가변적인 것으로 본 것이다. 제시문 <가>의 힌두교의 '사티'는 전통으로 지속되어 오는 것이다. 남편이 죽고 나면 아내를 산채로 화장하는 문화는 단순히 종교적 풍습으로 보기에는 보편적 관점을 너무 벗어난 것이다. 하지만 <나>에 의하면 남자들이 믿고 있는 힌두교의 선별된 전통으로 인식한다. 관습에 의해 옳지 못한 잘못된 전통을 지키는 것은 인류의 보편적인 윤리에 위배되는 것이다. 그러므로 당연히 맹목적인 추종은 비판받아 마땅하다.

제시문 <가>의 ㉡에서는 인간이기 때문에 가질 수 있는 보편적인 권리에 대해 얘기하고 있다. 모든 인간에게 권리는 절대 빼앗길 수 없고 누려야 하는 절대적인 것이다. 제시문 <다>에서 제시된 프랑스 혁명과 세계인권선언은 인류가 쟁취해 온 인권의 역사라 할 수 있다. 인권은 보편타당성을 지녀야 한다. 지역, 인종, 성별, 사회적 신분 등 어떠한 상황에서도 보장되어야 하며 어떤 누구도 빼앗을 수 없는 불가침의 권리이다. 또한, 이러한 권리는 단순히 생겨난 것이 아니라 것을 제시문 <다>를 통해 알 수 있다. 프랑스에서 발생했던 테스트 코트의 서약을 공고히 하며 시작된 혁명은 기존 기득권 세력에 대해 시민들이 버티며 힘겹게 싸워낸 투쟁의 결과라 평가받을 수 있다. (727자)

<집필자 검토 예시답안>

2. 2024학년도 경기대 수시 논술 A형

[문항 1] <가>에서 나타나는 '이인국'의 삶의 방식을 나의 ㉠의 관점에서 비판하고, <다>의 시적 화자가 보이는 삶의 태도를 가와 비교하여 서술하시오. (700 ± 50자)

(가)의 '이인국'은 자신의 이익을 위해 본인의 조국을 침략한 일본에 복종하였으며, 이에 환자를 치료해야 한다는 의사로서의 도리보다, 일본에 잘 보이기 위한 궁리가 우선인 인물이다. 이렇게 이익만을 좇는 이인국의 삶의 방식은 (나)의 관점에서 ㉠을 지키지 못하고 사사로운 이익에 눈이 멀어 선한 본성을 잃어버렸다고 비판할 수 있다. (나)는 본인의 선한 '마음'에 따라 흔들림 없이 살아야 한다고 말한다. 이인국은 해방 전까지 일제에 충성하며 일본인과의 교제가 '떳떳하다'고 했으나, 해방 후 액자 속에 모셔놓았던 '국어 상용의 가'와 같은 일본과의 연결고리를 없애버렸다. 이를 통해 그도 일본과의 교류가 잘못되었다는 점을 알고 있었고, 일본에 바쳤던 충성 또한 해방과 같은 사건에 흔들릴 수 있는 가볍고 이기적인 삶의 태도였다고 볼 수 있다.

반면, (다)의 화자는 이인국과 달리 반성하고 성찰하는 사람의 태도를 보이고 있다. (다)의 화자는 외부의 힘, 즉 일제의 강제에 의해 창씨개명을 하게됐지만, '부끄러운 이름을 슬퍼하는' 태도를 통해 비록 자신이 이름을 바꾸었어도 조국을 사랑하는 마음만은 변치 않았다는 부동심을 보여준다. (다)의 화자는 대적할 수 없는 외부의 힘에 괴로워하면서도 별 하나에 본인의 조국과 가족, 친구, 나아가 비둘기, 강아지와 같은 생명체의 이름까지도 가슴에 새기면서 그의 선한 본성을 잃지 않는다. 이는 의사임에도 환자를 쫓아내고 오로지 자신의 이익만을 중시한 이인국의 삶의 태도와 상반되는 삶의 태도이다.

[문항 2] <가>를 근거로 <나>의 '청렴'해야 하는 이유를 설명하고, <다>의 관점에서 <라>의 ㉠이 가지는 의의를 서술하시오. (700 ± 50자)

(가)는 기회비용에 가시적으로 파악이 가능한 재화인 '명시적 비용'과 직접적으로 드러나진 않지만 발생하는 '암묵적 비용'이 포함된다고 설명한다. 이 개념을 근거로 (나)의 '청렴해야 하는 이유'가 '공직자가 청렴을 지켰을 때의 기회비용이 그렇지 않았을 때의 기회비용보다 적기 때문'이라고 할 수 있다. (나)는 공직자가 '수백 꾸러미의 돈'과 같은 탐욕에 빠질 때를 지적했다. 이는 (가)의 개념에서 봤을 때 재화 취득으로 인해 명시적 비용에서 금전적 이익이 생길 수 있으나, 비리가 적발되어 유배와 같은 처벌, 즉 암묵적 비용에서의 손해가 발생하게 되어 총 기회비용이 커질 수 있음을 지적한 바와 같다. 비리로 얻는 이익보다 파문으로 인한 손해가 더 커서 총 기회비용을 높이기 때문이다.

(다)는 개인이 모여 집단을 형성할 때 집단만의 개별 속성이 생겨난다고 설명한다. 이에 (라)의 ㉠은 집단이 안전하고 공정하게 유지될 수 있도록 돕는 제약이라고 볼 수 있다. 국가 공동체의 규범을 정립하고 이를 수호하는 공직자가 뇌물, 청탁 등의 비리를 저지른다면 '국가'라는 공동체 속에 속한 구성원들 간 불평등한 위계질서, 차등적 지위가 생겨날 수 있다. 이러한 불평등한 구조가 집단 내에서 발생하게 된다면 집단 내 갈등과 대립은 불가피해질 것이다. 따라서 공직자의 청렴을 이끄는 ㉠은 공직자의 부정행위로 인해 발생할 수 있는 집단의 균열을 미연에 방지하고 국가 공동체의 평화와 존속에 기여할 수 있다는 의의가 있다

3. 2024학년도 경기대 수시 논술 B형

[문항 1] <가>의 ㉠과 <나>의 ㉡이 공통적으로 가지는 의미를 서술하고, <나>의 ㉢을 참고하여 <다>의 '권 씨'의 행동을 평가하시오. (700 ± 50자)

(가)의 ㉠과 (나)의 ㉡은 공통적으로 결점의 양면성을 의미한다. 흔히 결점은 부정적인 것이며 기피해야할 대상으로 인식된다. 그러나 (가)와 (나)에선 그 의미가 사뭇 다르다.

(가)의 ㉠은 그릇을 더 단단하고 안전하게 강화시키는 장치 역할을 한다. 그릇의 제조 과정에서 열에 의해 금이 생기지만 그 금으로 인해 병균이 소멸되고 내구도가 올라가 더 좋은 그릇이 되는 것이다. (나)의 ㉡ 역시 우연한 사고에 의해 생긴 결점이다. 허나 결점을 통제할 수 있는 유연성은 바둑판을 특급으로 변모시켰다. (나)는 결점을 잘 이용한다면 전화위복이 될 수 있음을 말하고 있고 (가)는 현재 갈라진 대상과의 관계를 ㉠에 빗대어 관계가 증진되는 과정의 일부이기를 소망한다.

한편, (나)의 ㉢은 위와 비슷하게 과실은 대처하는 이의 태도에 따라 부정적인 결과를 초래하거나 긍정적인 상황으로 이끌 수 있다고 주장한 내용이다. 이러한 ㉢의 관점에서 (다)의 권씨는 비판될 수 있다. 권씨는 궁핍한 삶을 살아가는 현재의 상태를 외면하고 과거의 풍족한 삶에 매몰되어 있다. 이는 권씨가 구두를 아끼는 것과 대학에 대한 자부심으로 확인할 수 있다. 이러한 태도는 과실을 긍정적인 상황으로 이끌지 못한다. 궁핍한 삶에서도 의지를 가지고 상황을 타개하려는 노력이 수반된다면 상황은 나아질 수도 있다. 허나 권씨는 아무런 노력을 하지 않고 위기가 찾아오자 범죄를 저지르는 행위를 하여 스스로 나락에 빠져 더 큰 과실을 저질렀다.

[문항 2] <가>의 전통을 바라보는 관점을 <나>와 <다>를 활용하여 평가하고, 이와 관련하여 <라>의 내용이 경계하는 바가 무엇인지 서술하시오. (700 ± 50자)

(가)는 전통이 선조들이 사용하며 후대에 전승한 옳은 방법의 '보증서'라고 주장한다. 이러한 관념은 관습에 기인하기에 진위를 판단받지 않는다. 관습은 분석되지 않고 무엇이든 옳다고 덧붙이기도 한다. (나)에서는 숭늉이라는 전통을 당시 선조의 온돌이라는 시설이 영향을 주었고, 유교를 지향하던 조선시대의 관습과 함께 절의 차문화의 쇠퇴로 숭늉의 수요가 높아진, 자연스러운 관습에서 시작된 전통문화를 이야기한다. (다)의 경우는 당시 관습에 불편함을 느끼고 편의에 맞게 외부의 영향을 받아 개편하여 전승된 한복을 설명한다. 이는 조상으로 내려온 권위가 담긴 관습을 편의에 맞게 외부요소를 참고해 개량했기 때문에 항상 관습이 옳다고 주장하는 (가)와 대조적이다.

(라)의 경우 자신의 문화를 외면하고 타국의 문화를 동경하는 상황이다. 조나라를 동경하며 걸음걸이를 따라한 연나라의 청년은 옛날의 걸음걸이도 까먹고 기어서 돌아간다. (가)와 같이 과하게 전통을 지향하고 옳다고 여기는 관점은 문제가 되므로 (다)와 같이 자국의 문화를 인지한 채 타문화의 장점을 배워야 한다. 하지만 연나라의 청년은 자국의 문화를 인지하지 못한 상태에서 타국의 문화를 흉내내려 했고 결국에는 두 나라의 문화 중 하나도 얻지 못했다. 이를 반면교자 삼아 타국의 문화를 과하게 받아들여 자국의 문화 손실이 생기지 않도록 경계해야 한다는 것을 (라)를 통해 알 수 있다.

4. 2023학년도 경기대 수시 논술 A형

[문항 1] <가>와 <나>의 시에서 <다>의 '슬픔'의 정서가 문학적으로 어떻게 표현되고 있는지 각각 서술해 보시오. (700 ± 50자)

(다)는 시인이 갖고 있는 슬픔의 정서가 다른 이들과 남다른 시선을 통해 세상을 볼 수 있음을 말하고 있다. 기쁨, 공감의 정서도 주된 감정인 슬픔을 통해 문학 작품 속에 완전히 담아내어 표현할 수 있는 것이다. 이러한 관점에서 (가)와 (나)의 시가 어떤 시적 표현과 정서를 드러내고 있는지 말할 수 있다.

먼저 (가)의 화자는 타인들이 보기에 하찮을지 모르는 대추열매 한 알 속에서 자연의 과정을 읽어낸다. 그 예리한 시선은 (다)에 따라 생명을 아끼는 마음이 슬픔을 통해 드러나고 있다. 시인은 슬프지 않은 것에도 슬퍼할 수 있는 능력이 있다. 자연에 대한 놀라움과 깨달음이 애정의 감정인 슬픔으로 승화되어 표현하고 있는 것이다. 그 애정은 작은 대추 한 알이 태풍, 벼락, 번개를 맞는 고통을 통해 영글었다는 자연 가치에 따른 깨달음의 정서라고 말할 수 있다.

한편, (나)의 시는 슬픔의 정서가 화자가 그리는 임과의 이별의 상황을 통해 드러나고 있다. 여기서 화자는 이별의 정서를 단지 슬픔으로만 표현하고 있지 않는다. 헤어짐과 기다림의 대상에 대하여 복합적 감정을 왕래하고 있다. 그 감정은 미타찰 세계에서 다시 만나리라는 희망과 기대를 통해 드러난다. 이 과정에서 슬픔과 재회에 대한 기쁨의 상상을 동시다발적으로 나타내고 있기에 화자는 주된 슬픔의 정서를 중심으로 여러 가지 복합적 감정을 느끼고 시를 통해 승화시켜 표현하고 있음을 알 수 있다.

[문항 2] <가>와 <나>에 나타난 이동 현상의 차이를 다를 참고하여 해석해 보고 <나>의 현상을 <라>와 연관지어 설명하시오. (700 ± 50자)

(다)에서는 가계의 총지출 중에서 집세, 금융비용, 관리비용을 합한 주거비가 차지하는 비중을 나타내는 값인 '슈바베 지수'에 관해 제시한다. 슈바베 지수가 높을수록 주거비의 비중은 커지며, 발전된 지역일수록 슈바베 지수가 높게 나타난다. 높은 슈바베 지수는 저소득층에서 특히 부담이 크다. 이와 같은 (다)의 관점에서 (가)와 (나)에 나타난 이동현상은 모두 주거비 때문에 발생한 것이다. 하지만 (가)의 대전역 주변은 낮은 주거비 때문에 빈곤층이 이동한 현상인 반면에 (나)의 이촌향도 현상은 높은 주거비를 지불해야 함에도 불구하고 더 좋은 일자리와 인프라를 찾기 위해 발생한 것이다. 이러한 이유에서 도시의 주거비를 감당하기 어려운 노년층이 상대적으로 주거비가 저렴한 농촌에 많이 분포되어 있는 것이라 볼 수 있다.

높은 슈바베 지수에도 (나)와 같이 현상이 나타나는 이유는 제시문 (라)에 근거할 때 성장 거점 개발의 부작용으로 발생했다고 볼 수 있다. (라)에서는 지역 개발을 하향식 개발 방식과 상향식 개발 방식으로 나눈다. 주로 정부 주도 하에서 이루어지는 하향식 개발 방식은 효율성을 극대화할 수 있다는 장점이 있지만, 중심지와 주변 지역의 발전 수준의 차이가 더 커지는 역류 효과가 발생하기도 한다. (나)의 현상이 역류 효과의 예라고 볼 수 있다. 성장 잠재력이 높은 지역이 개발되는 특성 때문에 인구가 밀집된 도시가 계속해서 개발되고, 주변 지역인 농촌과의 인구와 발전 수준의 차이가 벌어지는 부작용이 발생한 것이다.

5. 2023학년도 경기대 수시 논술 B형

[문항 1] <가>와 <나>에서 묘사하고 있는 현실을 대조하여 설명하고, ㉠에서 표현되고 있는 화자의 갈망이 나에서 어떻게 나타나고 있는지 서술하시오. (700 ± 50자)

(가)에서는 끊임없는 노력에도 불구하고 그 결실이 이루어지지 않는 것을 현실이라고 말한다. 허우적거리고 허공 속에 발을 빼며 걷지만 그렇게 걸어온 만큼 따라주지 않는 거리와 여러 번 시도하여도 제자리를 맴도는 공전은 전진하려 노력하지만 성장의 실패가 반복되는 허무한 현실을 보여준다. (나)에서도 마찬가지로 아무리 노력해도 해결할 수 없고 희망조차 없는 무모한 현실을 묘사하고 있다. 사회에서 소외된 난쟁이 가족은 가난을 극복하기 위해 끊임없이 일하지만 이 가난이라는 현실에서 벗어날 수 없음을 보여준다. 이들은 이러한 현실을 죽은 땅, 미개한 사회라 표현하며 노력해도 그 결실을 맺지 못한다고 말한다. 따라서 (가)와 (나) 모두 노력만으로 해결할 수 없는 현실을 고발하며 (가)는 거리, 공전으로 (나)는 죽은 땅, 미개한 사회로 현실을 비유하고 있다.

이에 따라 (가)의 ㉠에서는 자신의 노력이 현실을 극복하여 진전하고픈 갈망을 보여준다. (나)에서는 이러한 갈망을 이 곳을 떠나 달에서 일을 하겠다는 아버지를 통해 표현하고 있다. 비록 달에 가는 것이 현실적으로 불가능한 일이라 하더라고 희망없는 현실을 극복하고자 하는 아버지의 생각은 ㉠에서 나타내고자 하는 현실에 대한 갈망과 일치한다고 할 수 있다. 그러한 시도조차 하지 않는 학교롤 죽은 교육이라 표현하며 이 무모한 현실에 대한 노력이 빛을 발하기를 희망하는 화자의 갈망이 드러나 있다.

[문항 2] <나>의 ㉢의 관점에서 <가>의 ㉠을 비판하고, <다>의 역사적 사건들이 갖는 의의를 통해 <가>의 ㉡을 지지해 보시오. (700 ± 50자)

제시문 (나)의 ㉢의 과점에서 볼 때, 맹목적인 종교적, 사회적 전통 수호는 바람직하지 못하다. 왜냐하면 시간이 흐를수록 시대가 바뀌기 때문이다. 즉, 전통이 행해지는 시대적 배경이 계속해서 변화하므로 오래된 풍습과 전통 역시 시대가 변화함에 따라 함께 바뀌고 변형된다. 더욱이 시대에 맞지 않는 전통은 현대인들로 하여금 거부감을 들게 하며, 결국 퇴행적 문화라는 비판을 받게 된다. 이러한 관점에서 볼 때, (가)에서 설명하는 '사티'와 같이 인권을 유린하는 전통은 시대 퇴행적 전통이다.

또한, 모든 인간은 존엄하며, 존엄성을 훼손 받지 않을 권리가 있다. 제시문 (다)를 통해서 알 수 있듯이 인간이 존엄할 수 있는 권리, 즉 '인권' 역시 시대 착오적 관습과 문화들을 쇄신하며 얻어낸 값진 결과물이다. 평민들의 인권을 위한 '프랑스 혁명'의 '인권선언'이 그러했고, 학살, 폭격 등 세계 대전으로 짓밟힌 인권을 회복하고 보호하기 위한 '세계 인권선언' 또한 그러했다. 두 역사적 사건들이 그랬듯이, 보편적인 가치는 시대 착오적, 시대 퇴행적인 오래된 관습과 전통에서 벗어날 때 비로소 지켜질 수 있으며 어떤 문화나 전통도 인간의 존엄성을 비롯한 보편적 권리를 침해하거나 훼손해서는 안 된다. 전통과 관습은 인간의 더 나은 삶을 위해 시대에 발맞춰 진화해야 하며 그렇지 못하고 인간을 해하는 전통은 결국 시대 착오적 악습일 뿐이다. 따라서, 전통은 인간의 존엄성이 보호되는 범위 내에서 보존되고 수호되어야 한다.

6. 2023학년도 경기대 모의 논술

[문항 1] <가>의 소설에서 보이는 '공장 사람들'의 태도를 <나>의 글쓴이의 관점에서 비판하고, 대립하는 두 입장에 대하여 <다>의 ㉠'생태학적 추론'이 갖는 의미를 서술하시오.(700±50자)

제시문 <나>에서는 생산자와 소비자의 관점으로 자연을 바라보는 경제학의 폭력성에 대해 문제점을 제기한다. 즉, 단편적으로 식물을 생산자, 동물을 소비자로 보는 것에 반기를 든 것이다. 제시문 <가>에서 공장사람들은 이기적인 태도로 공장의 오폐수를 자연으로 흘려보낸다. 자연과 공생의 입장이 아닌 경제적인 이윤, 국가 경제 발전과 같은 인간의 도구로 자연을 바라보고 있다. 하지만 공장사람들의 경제적인 관점은 자연을 배제한 지극히 인간의 이기심에 기반한 경제 폭력성에 기인한 것으로 비판은 당연해 보인다.

제시문 (가)에서 조국 근대화라는 명분으로 경제 합리성과 성장의 논리를 강조하는 공장사람들과 병국과 같이 사람 또한 자연의 일부로 새나 물고기까지 보존하여야 한다는 사람들은 대립하게 된다. 공장사람들은 심지어 병국을 정신병자나 미친놈이라 욕하며 '한갓 새나 물고기'를 미천하게 보고 오직 인간을 위한 자원으로 여긴다. 반대로 병국은 공장을 상대로 기관에 진정서를 제출해 문제를 해결하려고 한다. 서로의 대립은 갈등을 키워 대립할 수 밖에 없다. 제시문 <다>의 생태학적 관점은 두 관점을 하나로 모으는데 효과적일 수 있다. 케냐의 원주민들이 자연과 인간이 서로 공존하는 대상으로 여기는 태도에서 출발한다. 자연을 경제와 이익을 위해 희생하거나 혹은 무조건 보존하여야 할 대상으로이라는 데서 벗어나 공존이라는 발전된 사고를 할 수 있어 의미가 있다. 자연은 인간에게 있어 삶의 터전이며 또한 보존해야할 대상인 것이다. 결국 대립한 두 생각은 공존이라는 접점으로 마무리가 되어야 할 것이다. (781자)

<집필자 검토 예시답안>

[문항 2] <가>에 나타난 동상의 의미를 <다>의 관점에서 평가하고, <나>에 나타난 초상의 의미를 <라>의 관점에서 평가하시오. (700 ± 50자)

제시문 (가)는 미국 시카고에 세워진 메릴린 먼로 동상의 성 상품화 문제를 지적하고 있다. 성 상품화는 결국 인간의 존엄과 불평등에 기초한 것으로 평등에 있어 선행되어야 하는 것이다. 이런 사회적인 평등이라는 문제에 있어 제시문 (다)는 시사하는 바가 크다. 동아시아 각국에서 근대화 과정을 거치며 여성들이 권리에 눈을 떴다. 과거 사회에 존재하고 있던 여성관을 거부하고 여성 스스로 저항하며 사회의 시각을 바꾸어 놓아 사회평등의 기반을 다지는 데 일조하였다. 이러한 관점은 제시문 (가)의 먼로 동상을 볼 때 긍정적일 수 있다. 전근대적인 남성 위주의 관점으로 먼로의 동상은 파격적이고 불편할 수 있지만, 기존의 전통적인 여성관에서 벗어나 영화배우로 자유롭고 당당하게 아름다움을 발산하고, 사회적 관심을 이끈 것은 긍정적 평가가 가능하다.

제시문 <나>에서 5만 원권에 신사임당을 넣어, 국가 중요 화폐에 여성이 포함되었다는 점을 강조하고 있다. 하지만 제시문 (라)는 남성, 여성의 본성과 역할이 정해진 것이 아니며 인위적으로 만들어졌다는 점을 강조하고 있다. 이러한 관점은 제시문 <나>에서 신사임

당의 초상은 율곡 이이를 키운 훌륭한 어머니로 전통적인 여성의 역할을 보여주고 있어 진정한 여성 신장 혹은 성평등에 문제가 있음을 알 수 있다. 즉, 아이를 키워 성장시키는 역할은 여성에게만 있다고 하기는 어렵다. 그러므로 제시문 <나>의 지폐 초상은 여성에 대한 제한적인 역할에 머물러 있어 여성권리에 대한 가치를 추구하였다고 보기는 어렵다. (755자)

<집필자 검토 예시답안>

7. 2022학년도 경기대 수시 논술 A형

[문항 1] <가>의 글쓴이와 <나>에의 화자가 자아를 대하는 태도를 비교하고, <가>에 비해 <나>가 더 큰 서정적 감동을 불러일으키는 이유를 서술하시오. (700 ± 50자)

(가), (나)의 글쓴이와 화자는 모두 자아를 성찰하는 태도를 갖는다는 공통점이 있다. (가)의 글쓴이가 자아는 세상의 유혹들로부터 살피고 지켜야 하는 존재로 인식한다는 점에서, (나)의 화자가 외딴 우물을 홀로 찾아가 자신의 자아인 사나이가 있는 우물 속을 들여다본다는 점에서 이를 확인할 수 있다.

그러나 (가)와 (나)는 변화된 자아를 받아들이는 태도에 있어서는 차이점을 보인다. 먼저 (가)의 글쓴이는 본래 자신이 가진 자아가 아닌 변화된 새로운 자아는 진정한 자아가 아니라고 판단한다. 이와 같은 모습은 (가)의 글쓴이가 자아의 본성이 달아나지 않게 꽁꽁 묶고 자물쇠로 잠가야 한다고 주장하는 것에서 확인된다. 반면 (나)의 화자는 변화된 자아 역시 자신의 자아라고 받아들이는 태도를 보인다. (나)의 화자는 본래 자신의 고유한 자아가 아닌 변화된 자아인 사나이를 미워하고 있지만, 동시에 그 사나이를 그리워하고 가엾이 여기고 있기 때문이다.

이에 따라 (나)가 독자로 하여금 (가)보다 큰 서정적 감동을 불러일으키는 이유를 알 수 있다. 그 이유는 (나)의 화자가 변화된 자신에게 미움과 그리움, 그리고 연민의 '감정'을 느끼고 있기 때문이다. 이는 일방적인 가르침과 교훈을 독자에게 제시하는 (가)와 다르게 독자가 화자의 감정에 공감할 수 있게 만들어 상대적으로 더 큰 서정적 감동을 불러일으키는 것이다.

[문항 2] <나>의 사례에서 발생할 수 있는 문제와 그 해결 방법을 <가>를 바탕으로 제시하고, ㉠의 한계를 <다>의 사례를 통해 설명해 보시오. (700 ± 50자)

(가)에서는 시장에서의 경쟁이 자유롭고 공정하게 이루어질 때 시장의 기능이 제대로 작동하므로 정부가 경제활동의 조정자로서 개입해야 한다고 본다. 이에 따라 (나)를 분석하면, 홍콩에서의 필리핀 출신 가사 도우미 고용 현황은 자유롭지만 공정하지 못한 경쟁에 대해 정부 개입이 필요한 상태로 해석할 수 있다. 이러한 현상이 지속할 경우 외국인 노동자에 대한 임금 차별이 나타날 수 있기 때문이다. 또 가사 도우미들이 주말에는 주거 공간에서 쉴 수 없다는 점 역시 인권 문제가 제기될 수 있다. 따라서 이를 해결하기 위해서는 제시문 (가)에서 주장하듯이 정부가 공정한 경쟁을 위한 제도를 운용하는 조정자 역할을

수행하여야 한다. 첫째, 홍콩 정부는 출신 국가와 관계없이 노동자들에 게 동일한 최저 임금 제도를 적용해야 한다. 둘째, 필리핀 정부 역시 홍콩 정부와 최저임금 및 외국인 노동자에 대한 차별 철폐를 요구하여 해외로 송출된 자국 인력들의 처우를 개선해야 한다.

그러나 ㉠과 같은 주장은 시장 경제의 범위를 확대할 때에는 한계가 있다. (다)의 사례에서 제시된 두 차례의 국제 석유 파동 사건은 개별 국가의 노력만으로는 국제 시장 경제 체제에서 발생한 공급망의 충격을 회복하기 어렵다는 것을 보여주기 때문이다. 이와 같은 상황은 상호의존도가 높고 불안정성이 큰 국제 시장 경제 속에서 개별 국가 정부가 경제활동의 조정자로서 행사할 수 있는 영향력에 한계가 있음을 시사한다.

8. 2022학년도 경기대 수시 논술 B형

[문항 1] <가>의 서술자와 <나>의 화자가 처한 상황을 비교하고, 이런 맥락에서 <가>의 '피아노 연주'와 <나>의 '농무'의 의미를 서술하시오. (700 ± 50자)

제시문 (가)와 (나)의 화자는 공통적으로 부정적 현실에 처해 있다. (가)의 화자는 경제적으로 궁핍한 상황에 처해 있다. 아버지의 빚보증으로 가세가 기울자 화자는 언니의 곰팡이가 가득한 반지하방에서 살게 된다. 이러한 가난 속에서 화자는 꿈과 자유가 억압된다. 집주인은 시끄럽다는 이유로 화자가 피아노를 치는 것을 금지하고 감시한다. (나)의 화자 또한 가난하고 무시당하는 처지에 놓여 있다. 화자는 동네 처녀들에게 비웃음의 대상일 뿐이며 농사일은 비룟값도 나오지 않을 정도로 잘 되지 않는다.

이러한 부정적 상황 속에서 (가)의 피아노 연주와 (나)의 농무는 화자에게 위안을 주는 존재이다. (가)의 화자는 천장에서 빗물이 새는 암울한 현실 속에서 편안하게 피아노를 연주하기 시작했다. 주거 공간마저 온전치 못한 부정적 상황에서 피아노 연주는 화자에게 희망과 위안을 준다. 억압되었던 자유와 꿈에 대한 갈증을 화자는 피아노 연주를 통해 해소하며 현실에 대한 위로와 이러한 현실을 극복하고자 하는 희망을 얻는다. (나)의 화자는 힘든 현실 속에서 쇠전을 거쳐 도수장 앞에서 춤을 출 때 신명이 난다고 말한다. 이는 농무가 화자에게 즐거움을 주는 행위임을 의미한다. 농무를 통해 즐거움을 느끼며 화자는 부정적 현실로 인한 슬픔에서 벗어나며 부정적 현실에 대한 위안을 얻는다.

[문항 2] <가>에 제시된 ㉠, ㉡의 견해를 <나>의 정의론의 관점에서 비판하고, <다>의 판결이 <나>의 정의론에 시사하는 바를 서술하시오. (700±50자)

제시문 (나)에서는 형벌이 다른 목적을 충족하기 위한 수단이 되어서는 안 되며, 동등성의 원칙에 기반을 두어야 한다고 보는 응보주의적 정의관이 나타나 있다. 이에 따르면 제시문 (가)의 ㉠과 ㉡ 둘 다 형벌 그 자체를 목적으로 보지 않고, 다른 사회적 목적을 고려한 수단으로 간주한다는 점에서 응보주의적 정의관에 부합하지 않는다. ㉠은 형벌을 국민의 경각심 증진이라는 공익 실현의 수단으로, ㉡은 가해자의 행동 개선을 위한 교화 수단으로 보기 때문이다. 특히, ㉡은 범죄와 형벌 간의 균형이 깨졌다는 점에서 제시문 (나)에서 강조하는 동등성의 원칙에도 부합하지 않는다.

한편, 제시문 (다)에 나타난 라과디아의 판결은 제시문 (나)에서 강조하는 응보주의적 정의관의 한계를 보완한 사례에 해당한다. (나)의 응보주의적 관점은 개인이 시민 사회의 구성원으로서 존재한다는 사실을 간과하고, 공동체 내 사회적 배려가 필요한 약자를 배제할 수 있다는 한계가 있다. 재판관 라과디아는 절도죄에 대해 벌금 10달러를 판결하여 범죄에 대한 응당한 처벌이라는 동등성의 원칙을 충족하였다. 그리고 이에 그치지 않고 사회적 약자에 대한 배려를 법정에서의 행동을 통해 보여주었다. 이러한 판결은 (나)의 응보적 관점만 강조하면 나타날 수 있는 비인간적인 결과를 방지하고, 공동체적 연대를 통해 공공선을 실현했다는 점에서 시사하는 바가 크다.

9. 2022학년도 경기대 모의 논술

[문항 1] <가>의 ㉠을 바탕으로 <나>의 '눈'을 해석하고, 이를 <다>의 '눈'과 비교하여 서술하시오. (700 ± 50자)

제시문 <가>에서 엄청난 시민이 목숨을 잃은 테러가 발생한다. 테러는 충격과 공포를 사람들에게 몰고 온다. 작품에서는 테러로 인해 두려운 아이의 눈에 비친 모습은 비통했고 절망스러웠다. 하지만 테러의 위험은 곧 아버지의 현명한 판단에 사그러들게 된다. 테러에 사용된 사람을 죽인 무시무시한 총에 대항해 사람들은 꽃을 헌화하고 촛불을 든다. 추모를 위한 꽃과 죽은 사람들을 기억을 위한 촛불은 너무나도 나약해 보이지만 이를 통한 살아남은 이들의 결집은 테러를 이겨낼 수 있는 버틸수 있는 힘이 될 수 있다. 꽃이 총을 보다 강력한 힘이라는 것을 알려주는 것이다. 이렇게 작품에서 사용된 표현인 비약은 제시문 <나>의 눈에서도 나타난다. 눈이 사라지지 않고 살아 움직이는 생명체인 듯 의미를 부여해 힘든 상황을 의지한다. 마치 살아 있는 사람을 혹은 생명체를 대하듯 눈에 기침을 하며 힘들고 고된 시간을 함께 버티게 작품에 숨을 불어 넣었다.

이에 비해 제시문 <다>는 하얗고 깨끗한 눈이 그치고 펼쳐진 아름다운 풍경을 보고 표현한 작품이다. 긴 밤 동안 내린 눈이 세상의 풍경을 새롭게 하고, 앞으로 펼쳐진 바다와 뒤에 이어진 산이 어우러진 아름다움은 감탄사가 절로 나오게 나타내었다. 눈으로 인해 펼쳐진 풍경은 신선이 머무는 듯한 세상과 불교의 번뇌를 벗어난 아름다운 세계인 것처럼 나타내었다. 결국, 제시문 <나>는 눈을 통해 내용의 점층적 비약을 했으며 눈에 생명을 불어넣어 작품에 표현하였다. 제시문 <다>는 눈에 의해 펼쳐진 풍경의 아름다움을 표현해 제시문 <나>와 다르게 소재를 사용하였음을 알 수 있다. (793자)

<집필자 검토 예시답안>

[문항 2] <가>의 맹자의 직분론에 대하여 <나>의 데이비스와 무어의 계층 이론이 갖는 의의를 서술하고, <다>의 ㉠과 ㉡ 사례를 바탕으로 <나>이론의 한계를 논술하시오. (700 ± 50자)

제시문 (가)에서 맹자는 생업 즉, 직업 수행에 있어 신분과 직업 간의 분업으로 상호 보완적 역할을 수행한다는 직분론을 얘기하고 있다. 대인과 소인, 개인에 의한 노동 능력 차이, 개인에 따른 지적 심적 능력의 차이와 같이 정신노동과 육체노동까지 구분하였다. 하

지만 신분적 불평등을 전제로 하고 있다. 이러한 점에서 데이비스와 무어의 계층 이론과 차이가 난다. 제시문 (나)에서 데이비스와 무어는 사람을 신분에 의해 구분하지 않고 평등하게 보았다. 대신 개인이 수행하는 일의 사회적 중요성에 따라 구분하였다. 일은 중요도에 따라 차등적인 보상을 할 수 밖에 없고, 이렇게 발생한 차별에 의해 나타난 사회적 불평등은 불가피하다는 것이다.

제시문 (다)의 ㉠은 동일한 사업체에서 조건이 동일할 경우 비정규직 근로자와 정규직 근로자의 임금을 비교한 것이다. 정규직은 비정규직에 비해 높은 임금을 받고 있다. 실제 개인의 능력 차이가 아니라 고용의 형태에 따라 불평등함이 존재하는 것이다. 그러므로 제시문(나)의 이론은 ㉠의 사례와 같은 고용형태에 따른 차등적 보상을 설명하지 못하는 한계가 있다. 또한, ㉡은 미국에서 근로자의 연봉과 최고 경영자간 연봉의 격차를 보여주고 있다. 과거 1965년부터 발생한 연봉 격차는 현재로 진행하면서 더 급격히 격차가 벌어졌다. ㉡은 일이 사회적 중요도에 따라 차등을 주어 보상하는 것이다. 하지만, 제시문 (나)에서는 적절한 보상의 정도가 없고, 특히 보상의 격차를 수용할 합의나 사회적 반발에 대한 해결책은 없는 한계가 나타난다. (765자)

<집필자 검토 예시답안>

10. 2021학년도 경기대 수시 논술 A형

[문항 1] <가>에서 ㉠의 아름다움이 의미하는 바를 서술하고, 이를 바탕으로 <나>에서 ㉡의 시적 의미를 해석하시오. (700 ± 50자)

[가]의 ㉠의 아름다움은 개인이 가지고 있는 고유한 특성에 내포된 근본적 가치를 발견하고 인정함으로써 느낄 수 있는 것이다. '엇박자 D'와 그가 모은 음치들은 타인에 의해 음치라고 규정되었고, 그것을 내면화하기도 했다. 사회가 개성을 있는 그대로 인정하지 못하고 잘못되었다고 말한 것이다. 이는 엇박자 D를 음치라고 규정하고, 자진 사퇴까지 요구한 '음악 선생'을 통해 다름을 비정상적이라고 인식하는 것에 그치지 않고 '다른' 사람들을 공동체에서 배척하기까지 한 것을 알 수 있다. 또한 '나'의 생각을 통해 타인의 특성이 묵살당하는 것에 대해 아무런 행동을 취하지 않은 '우리들'도 동조자일 가능성이 존재함을 알 수 있다. 이러한 부당한 대우에도 불구하고 음치들은 합창을 통해 각자의 특색이 발현된 진정한 공동체의 가치를 실현하였다.

이를 바탕으로 [나]의 ㉡은 개인의 특성인 개성이 존재할 자리를 침범하거나 침범당하지 않을 때, 비로소 진정한 공동체가 형성될 수 있다는 것을 의미한다. '어깨와 어깨를 대고' 살아가는 공동체는 개인을 존중할 틈이 존재하지 않는다. 또 그렇게는 더 자랄 공간도 있지 않다. 그러나 '간격'은 자신이 타인을, 타인이 자신을 충분히 존중하고, 각자로서 존립할 수 있게 한다. 간격이 공동체의 유지에 필수적인 요소인 것이다. 따라서 개인과 개인 간의 간격은 필수적이고 이것이 진정한 공동체의 조건이 된다. (695자)

[문항 2] <가>와 <나>의 상황에서 기후 문제를 정의의 문제로 보아야 하는 이유를 설명하고, 기후 정의의 시각에서 <다> 한스 요나스의 관점이 갖는 의미를 서술하시오. (700 ± 50자)

제시문 [가]와 [나]의 상황은 기후 변화 현상에 관한 인간의 책임이 제대로 이루어지지 않고 있기 때문에 문제가 된다. 이와 같이 책임이 선택적 사항이 되거나 한 쪽으로 치우치는 상황은 기후문제를 정의의 문제로 봄으로써 해결이 가능하다.

[가]에 따르면, 지구 온난화를 해결하기 위한 기후 변화 협약을 장기적으로 지속되지 못하고 도중에 무의미해지거나 와해되는 경우가 나타난다. 미국이 중국과 일본의 불참을 이유로 교토 의정서의 준수를 거부하고, 새로운 협정의 전 국가의 참여로 이루어짐에도 불구하고 협정을 탈퇴하는 상황은 책임의 선택적으로 부과되는 형식의 폐해이다. 더불어 [나]에서 드러나듯이 지역별, 혹은 계층별로 다르게 나타나는 기후 변화의 상대성은 기후 변화에 책임이 없는 국가들에게 집중적인 피해를 낳는다. 이와 같은 문제상황들은 정의의 관점에서 다루어져야 할 필요성이 있다. 기후 변화 문제를 정의의 문제로 보면, 훼손의 책임을 선택이 아닌 보편타당한 것으로 인식하고 정당하게 부과할 수 있기 때문이다.

이러한 기후 정의의 시각으로 보면, [다]의 요나스의 관점은 환경에 대한 인류의 무조건적 책임을 강조하고, 장기적으로 미래 세대의 가능성을 고려하는 원칙을 제안하므로 정의에 부합하는 의미를 지닌다. 인류가 무조건적으로 미래의 가능성을 존속시키는 것은 현세대의 이익이나 상황에 근거한 것이 아니고, 마땅히 그렇게 한 의무가 있음이 근거가 된다. 따라서 당위에 기반한 요나스의 입장은 정의를 내포한다. (736자)

11. 2021학년도 경기대 수시 논술 B형

[문항 1] <다>를 참고하여 <가>와 <나>가 추구하고 있는 삶의 가치를 밑줄 친 ㉠과 ㉡을 중심으로 각각 서술해 보시오. (700± 50자)

(가)에서는 문학이 독자에게 다양한 삶의 가치를 발견하는 역할을 한다고 말한다. 이러한 문학은 윤리적 측면에서 다양한 기능을 하는데, 개인의 삶의 가치관이나 지향점을 되돌아보게 하여 삶의 질을 높이고 공동체가 나아가야 할 방향을 확립할 수 있다는 것이다.

이러한 문학의 기능은 (가)와 (나)의 문학에서도 찾아볼 수 있다. 우선, (가)에서는 서로간의 이해와 양보에 대하여 이야기한다. 소설 속의 동네는 가장 맑은 물을 돌아가며 사용하고 이웃의 사정을 고려하여 양보하기도 한다. 나아가 ㉠처럼 이웃뿐만 아니라 자연에 물을 양보하는 모습을 볼 수 있다. 이는 이웃을 존중하지 않는 태도를 반성하게 하여 독자가 어우러져 살아가는 삶의 태도를 지향하도록 한다. 또 점점 주변에 무관심해져 가는 사회를 성찰하게 하여 이웃을 이해하고 배려하는 사회를 형성할 수 있게 한다.

한편, (나)에서는 여유를 가지고 살아가는 삶의 가치에 대하여 말한다. 소설 속 잃어버린 조각을 찾게 된 동그라미는 조각을 되찾기 전과는 달리 노래를 부르며 여유롭게 여행을 즐길 수도, 벌레와 나비와 소통하며 다양함을 경험할 수도 없게 된다. 결국 동그라미는 행복한 삶을 되찾기 위해 찾았던 조각을 내려놓는다. 이러한 모습을 통해 독자는 바쁘게 살아가는 현대사회에서 현대인들이 궁극적으로 추구해야 할 가치가 무엇인지 생각하게 한다. 완벽한 모습이 되려는 완벽주의를 탈피하여 앞만 보고 목적 없이 나아가는 삶이 아닌 주변의 다양한 모습을 경험하는 여유로운 삶의 중요성을 이야기하는 것이다. (758자)

[문항 2] <가>의 '착한 사마리아인 법'의 입법 취지를 <나>를 참고하여 서술하고, 이 법을 <다>의 맹자의 관점에서 평가해 보시오. (700± 50자)

(나)에서 형법이 특정 행위를 범죄로 정하는 것이 중요한 가치를 보호하려는 목적을 가진다고 말한다. 이때의 특정 행위는 대부분 적극적인 범죄 행위에 해당되지만 법익을 보호하지 못한 소극적 행위인 부작위범 또한 해당되는 행위로 본다.

이러한 (나)에 따르면 (가)의 '착한 사마리아인 법'의 입법 취지를 알 수 있다. 우선, '착한 사마리아인 법'이란 자신이 위험에 처할 가능성이 없음에도 타인을 돕지 않아 법익을 보호하지 못한 부작위범을 처벌하기 위한 법이다. 이러한 법이 마련된 것은 해당 사회가 사람의 '생명'이라는 법익을 보호해야 한다는 사회적 인식을 가지고 있으며 법적 강제의 필요성을 느꼈기 때문이다. 때문에 프랑스나 독일 등 다양한 국가에서 구조거부죄나 불고조죄가 마련되어 있는 것이다.

이처럼 부작위범에 대한 처벌은 다양한 국가에서 시행되는 것에서 '착한 사마리아인 법'은 부당하다. (다)에서는 인간의 고유한 마음인 사단을 가지고 있어도 행동으로 옮기지 않으면 인의예지의 실천이 불가하다고 본다. 때문에 형벌로 선한 행위를 강제하는 패도정치는 백성의 마음을 교화할 수 없으며 통치자가 인의예지를 실천하는 것만이 백성을 올바른 길로 이끄는 것이라 본다. 이러한 관점에서 타인의 생명을 보호하지 못한 소극적 행위에 대해 처벌할 수 없다. 스스로 타인을 도와야 한다는 마음을 가지는 것이 법으로는 불가능하기 때문이다. 결국 맹자는 통치자가 모범을 보여 백성의 사단을 이끌어내는 것이 중요하다고 말하는 것이다. (738자)

12. 2021학년도 경기대 모의 논술

[문항 1] <가>를 참조하여 <나>의 시적 의미가 어떠한 독창적 상상력을 통해 구현되는지 설명하고, <나>의 관점에서 <다>의 ㉠에 나타난 사람들의 음식에 대한 태도를 논해보시오. (700 ± 50자)

제시문 <가> 에서는 데페이즈망을 설명하고 있다. 데페이즈망은 한국어로 전치로 대상을 우리가 느끼고 바라보고 생각하는 것에서 벗어나 다른 개념을 덧씌워 새로운 장면을 만드는 것을 말한다. 제시문 <나>에서는 식탁에 오르는 음식을 육식이나 채식에 대한 편견을 가지지 않고 살아 숨쉬는 생명체로 봐 희생하는 대상으로 생각하였다. 육류뿐만 아니라 식물인 채식의 경우에도 핏물이 흐르고 꿈틀거리는 동물로 묘사하였다. 더나아가 이 식물들이 욕망을 가지고 말간 눈망울로 응시하는 의식까지 주입하여 생동감있게 표현하였다. 이러한 상상력은 제문 <가>의 데페이즈망의 이어질 수 있다. 데페이즈망의 여러 가지 표현 중 마그리트의 작품에 나타난 생명이 없는 것에 생명을 불어넣는 것고 불가능한 것으로 볼 수 있다. 또한 수지 개블릭의 불가능한 것으로 바꾸는 변형을 통해 시각의 다양성을 가진 것을 확인할 수 있다.

제시문 <다>에서는 아내가 표방한 채식주의에 대해 모임의 사람들이 나타낸 낯선 거부감이 나타나 있다. 이들은 건강을 위해 육식이 필요하다고 의견을 나눈다. 제시문 <나>의 관

점에서는 식탁에 오른 음식들의 소중함을 모른 주장이라 할 수 있다. 제시문 <나>는 동물 뿐만 아니라 식물에게도 생명을 부여해 소중한 객체로 생각한다. 심지어 스스로 접시의 음식이 될 때의 감정으로 표현하면서 소중함을 주중하고 있다. 육식과 채식을 떠나 음식을 소중한 생명들의 고마움으로 생각하지 못한 제시문 <다>의 대화는 가볍고 경박하며 음식을 위해 희생된 생명들에 대한 배려가 결여되어 있다. (766자)

<집필자 검토 예시답안>

[문항 2] <가>의 주장을 <나>와 <다>를 참고하여 비판해 보고 이를 바탕으로 <라>의 기본 소득 제도가 갖는 의의를 논술하시오. (700 ± 50자)

제시문 <가>에서 소유 권리의 원칙으로 재화의 최초 취득과 이전 과정이 정의롭게 이루어져야 한다고 주장하였다. 또한 이렇게 획득되지 못한 재화의 취득을 부당하게 보고 바로잡아야 한다는 원칙을 내세웠다. 하지만 합법적으로 취득한 재화로 발생한 소득격차는 제시문 <나>에서는 암 환자의 미치료율로 나타난다. 소득 수준이 낮을수록 미치료 비중이 높고 경제적 이유 때문에 암의 치료를 완료하지 못함을 보여준다. 결국 정당한 소득 격차는 질병의 치료에 영향을 주고, 이로인해 건강에 밀접한 상관관계가 있음을 보여준다. 제시문 <다>에서 정의는 인간 사회에서 이루어지는 분배 공동체가 잘 이루어질 때 나타난다. 부는 경제 영역에서 나타나야 하고, 권력은 정치 영역에서 있어야 한다. 즉, 다원적 평등이 정의로운 사회의 기반이 되는 것이다. 제시문 <가>의 경우 재화의 취득과 교환에 대한 정의만 있다. 획득된 재화의 공정한 분배나 이로인해 얻을 수 있는 권력에 대한 제한은 없어 맹점이 될 수 있다.

제시문 <라>는 기본 소득 제도에 대한 내용이다. 정부가 개인에게 일정 금액을 지급하는 방식인데 재산, 가구 단위, 소득, 취업 여부와 상관없이 지급되는 것이 특징이다. 사회보장제도의 새로운 형태인 것이다. 이것은 제시문 <가>의 원칙에 위배된다. 재화의 최초 취득이 정의롭지 못한 것이다. 하지만 제시문 <나>, <다>에서처럼 기초적인 의료를 보장해 불평등을 완화하고 분배공동체의 정의적 관점에서는 경제 영역의 부를 나누는 효과적인 방법이 된다. 또한 인간의 기본적인 생활을 보장해 가치있는 삶을 영위하는 제도이기도 하다. (794자)

<집필자 검토 예시답안>